海外漢文古醫籍精選叢書·第二輯

2011—2020年國家古籍整理出版規劃項目
中國中醫科學院「十三五」第一批重點領域科研項目
——我國與「一帶一路」九國醫藥交流史研究（ZZ10-011-1）

蕭永芝◎主編

難經捷徑

（日）曲直瀨玄由 撰

海上大成懶翁集成先天

（越）黎有卓 撰

櫟蔭先生遺説

（日）多紀元簡 遺作
多紀元堅 輯録

北京科学技术出版社

圖書在版編目（CIP）數據

海外漢文古醫籍精選叢書·第二輯·難經捷徑　海上大成懶翁集成先天　櫟蔭先生遺説/蕭永芝主編．—北京：北京科學技術出版社，2018.1
ISBN 978－7－5304－9214－7

Ⅰ．①海…　Ⅱ．①蕭…　Ⅲ．①中醫典籍—日本　Ⅳ．①R2-5

中國版本圖書館CIP數據核字（2017）第207187號

海外漢文古醫籍精選叢書·第二輯·難經捷徑　海上大成懶翁集成先天　櫟蔭先生遺説

主　　編：蕭永芝
責任編輯：楊朝暉　張　潔　董桂紅　周　珊
責任印製：李　茗
出 版 人：曾慶宇
出版發行：北京科學技術出版社
社　　址：北京西直門南大街16號
郵政編碼：100035
電話傳真：0086-10-66135495（總編室）
0086-10-66113227（發行部）　0086-10-66161952（發行部傳真）
電子信箱：bjkj@bjkjpress.com
網　　址：www.bkydw.cn
經　　銷：新華書店
印　　刷：虎彩印藝股份有限公司
開　　本：787mm×1092mm　1/16
字　　數：432千字
印　　張：37
版　　次：2018年1月第1版
印　　次：2018年1月第1次印刷
ISBN 978－7－5304－9214－7/R·2375

定　　價：**950.00元**

《海外漢文古醫籍精選叢書·第二輯》編纂委員會

主　編　蕭永芝

副主編　何慧玲　韓素傑

編　委　孫清偉　侯如艷　杜鳳娟　管琳玉　曲　璐

前言

二十多年前，本研究團隊成員蕭永芝剛剛考入中國中醫研究院（現爲中國中醫科學院）攻讀博士學位，師從著名中醫文獻學家馬繼興先生。那時，馬老師經常對弟子們説：「中國的醫書要回歸，海外的醫書要引進。」馬老師的前一個願望，得到日本學者真柳誠先生鼎力支持，后来在鄭金生先生帶領的團隊的努力下，流散海外的重要中國古醫籍得以收集回歸，并通過《海外中醫珍善本古籍叢刊》等幾套叢書公開出版；馬老師關於引進海外古醫籍的願望，則成爲本研究團隊二十多年來不懈努力的方向。

從二〇〇七年開始，中國中醫科學院中國醫史文獻研究所多次立項支持開展對海外古醫籍的研究。二〇一六年，《海外漢文古醫籍精選叢書》被列入二〇一一—二〇二〇年國家古籍整理出版規劃項目，并獲得該年度國家古籍整理出版專項經費資助。二〇一七年初，在北京科學技術出版社的支持下，《海外漢文古醫籍精選叢書·第一輯》面世，收録影印了二十六種海外醫家用漢文撰寫的古醫籍。回想當年，馬老師正當年富力强，雄心勃勃，胸懷衆多願景，還希望做更多的研究；如今，他已年逾九旬，弟子終於戰戰兢兢捧上一份答卷……

二〇一七年，中國中醫科學院將「我國與『一带一路』九國醫藥交流史研究」列入本院「十三五」第一批重點領域科研項目。在前期工作的基礎上，本團隊再次遴選出二十種海外漢文古醫籍，以影印形式出版《海外漢文古醫籍精選叢書·第二輯》。

本次所精選的圖書含日本醫籍十三種、越南醫籍五種、韓國醫籍二種，内容涉及醫經、醫論、本草、醫方、針灸、兒科、臨床綜合及醫學全書。我们根據實際情况分别爲二十種著作撰寫了三千到萬餘字不等的内容提要，每篇提要從作者與成書、主要内容、特色與價值、版本情况四個方面展開論述。

本次所收醫籍的主要資訊，依次爲書名、卷（編）數、分類、撰著者、成書年代和所用底本，具體如下。

《難經捷徑》，二卷，醫經，（日）曲直瀨玄由撰，寬永十四年（一六三七）以活字本初刊，同年古活字本。

《海上大成懶翁集成先天》，一卷，醫論，（越）黎有卓撰，撰年不詳，鈔本。

《櫟蔭先生遺説》，二卷，醫論，（日）多紀元簡遺作，多紀元堅輯録，撰年不詳，慶應三年（一八六七）森約之鈔本。

《寸楮集》，不分卷，醫論，（日）曲直瀨道三撰，曲直瀨正琳注，撰年不詳，鈔本。

《用藥心法》，一卷，本草，（日）曲直瀨道三傳，津島道救選輯，慶長十二年（一六〇八）成書，鈔本。

《本草綱目鈞衡》，四卷，本草，（日）向井元秀撰，撰年不詳，寬政九年（一七九七）鈔本。

《傷寒論金匱要略藥性辨》，三編（存中、下二編），本草，（日）大江學撰，明和三年（一七六六）成書，次年刻本。
《古方藥議》，五卷，本草，（日）淺田宗伯撰，文久元年（一八六一）成書，文久三年（一八六三）鈔本。
《秘傳藥性記》，不分卷，本草，（日）味岡三伯撰，元禄元年（一六八八）初刊，同年刻本。
《管蠡備急方》，三卷，醫方，（日）度會常光撰，天文三年（一五三四）成書，鈔本。
《崇蘭館試驗方》，不分卷，醫方，（日）福井楓亭口授，撰年不詳，鈔本。
《古方藥説》，二卷，本草，（日）宇治田泰亮撰，寬政七年（一七九六）刊，同年刻本。
《家傳醫方》，不分卷，醫方，（越）撰者佚名，明命三年（一八二二）成書，同年鈔本。
《醫方軌範》，存卷下，醫方，（日）今大路玄淵傳，撰年不詳，鈔本。
《辨證配劑醫燈》，三卷，臨證綜合，（日）曲直瀨道三撰，元龜二年（一五七一）成書，鈔本。
《雜病提綱》，不分卷，臨證綜合，（朝）撰者佚名，撰年不詳，鈔本。
《穴處治法》，不分卷，針灸，（朝）撰者佚名，撰年不詳，鈔本。
《針灸法總要》，不分卷，針灸，（越）撰者佚名，明命八年（一八二七）成書，嗣德三十三年（一八八〇）鈔本。
《家傳活嬰秘書》，不分卷，兒科，（越）撰者佚名，撰年不詳，成泰二年（一八九〇）鈔本。
《新鐫海上懶翁醫宗心領全帙》，六十六卷（存五十五卷），醫學全書，（越）黎有卓撰，景興三十一年（一七七〇）成書，嗣德三十二年（一八七九）至咸宜元年（一八八五）間刻本。

上述海外古醫籍，絶大多數用漢文撰著，僅有個别醫書雜有少量日文或喃文。以上書籍中明確標明完成時間或可大致推測出撰寫時段的醫書，多成書於十六至十九世紀，大致相當於中國明清時期，其中不乏學術價值較高的名家名著。以「越南醫聖」黎有卓與日本醫學中興之祖曲直瀨道三爲例介紹如下。

黎有卓，自號海上懶翁，是越南歷史上最負盛名、影響最大的醫家，被後世尊爲「越南醫聖」。他在汲取中國醫學精髓的基礎上，結合越南本土醫療實踐，撰成六十六卷規模的鴻篇巨著《海上懶翁醫宗心領》。該書是越南傳統醫學歷史上第一部内容系統完備的綜合性醫學全書，標志着越南傳統醫學的本土化基本完成，在該國醫學史上具有里程碑式的意義。二〇〇三年，真柳誠先生首次在日本向蕭永芝推薦《海上懶翁醫宗心領》一書；二〇〇四年，蕭永芝回國後隨即向馬繼興先生報告此事，馬老師師徒幾人當即前往中國國家圖書館考察該書；此後，本團隊在研究過程中發現，中國醫史文獻研究所已故老專家趙璞珊先生曾在二十世紀八十年代就撰文介紹過該書；二〇〇八年，真柳誠先生再次建議出版該書。中外幾代學者對《海上懶翁醫宗心領》的重視，也從一個角度説明了該書的價值和重要性。因此，在《海外漢文古醫籍精選叢書·第一輯》中，本團隊先期影印了黎有卓《海上懶翁醫宗心領》早期流傳的四册鈔本，冠以《懶翁醫書》之名出版；本次則將刻本《新鐫海上懶翁醫宗心全帙》現存的五十五卷全部影印出版，希望能够反映出越南傳統醫學的精華及其學術淵源。此外，本叢書收録的鈔本《海上大成懶翁集成先天》，亦爲黎有卓醫書早期的手稿或傳抄之本。

曲直瀨道三（正盛），日本中世紀末期著名醫家、醫學教育家，對日本醫學産生過深遠的影響，被譽爲日本醫學中興之祖。道三早年師從曾入明學醫的名家田代三喜，受其師影響創立了日本漢方醫界的後世方派。爲改變當時日本醫者單純依賴《太平惠民和劑局方》診病處方的被動局面，道三提出「察證辨治」，即診察每位患者的病證，然後有針對性地予以配劑施治。道三一生著述頗豐，其《辨證配劑醫燈》一書，載述臨床各科常見病證的病因病機、診斷察證、辨治預後及注意事項。全書貫串着診察辨證的思想，是後世方派系統實用的臨證處方秘典。曲直瀨家族是日本著名的醫學世家，世代名賢輩出，亦有衆多醫著流傳。例如，曲直瀨玄由祖述《黄帝内經》，博采諸家注本之言，參以己見，全文注解并闡發《難經》之旨，撰成《難經捷徑》一書，是日本現存較早的《難經》注解性著作，具有較高的研究價值。曲直瀨正琳輯録并注釋道三親傳之心法秘訣，書成之後定名爲《寸楮集》。該書作爲後世方派的秘傳經驗合集，充分體現了道三察證辨治、重視脉診的學術特色。曲直瀨玄鑑被後陽成天皇賜予「今大路」的家號，之後曲直瀨家子孫均改姓今大路。如今大路玄淵，爲曲直瀨（今大路）家第六代道三，他將家族精心甄選并經歷代親試的效驗良方彙編爲《醫方軌範》一書，所收醫方涵括臨床各科，具有較高的臨床實用價值。此外，曲直瀨道三還創辦了日本歷史上第一所醫學校啓迪院，培養了衆多門生弟子，其中部分弟子成爲日本醫界的中流砥柱。如門人津島道救選編道三的臨床用藥、辨治經驗，彙爲《用藥心法》一書。該書凝聚了道三畢生臨證用藥經驗之精華，處處體現出道三察病辨治的核心思想。曲直瀨道三的養子玄朔培養了弟子饗庭東庵。饗庭東庵及其徒味岡三伯是後世方别派的代表醫家。味岡三伯將本草學理論與臨床實踐相結合，融入自己對疾病及用藥的感悟，選取該流派臨床常用效驗之藥，分别述其和名、炮製、性味、功效、主治、禁忌及所涉方劑等，編撰《秘傳藥性記》一書，系統條理，重點突出，便捷實用，體現了中國醫藥理論及其實踐對日本本土醫藥學發展的影響。

上述六部醫籍均傳承了曲直瀨道三獨特的學術理念與臨證實用經驗秘訣，展示了道三深厚的醫學造詣及其醫學思想在日本的傳承發展。幾部著作之間既有獨特的價值韵味，又有着千絲萬縷的内在聯繫，從不同角度反映了曲直瀨道三及其子孫、弟子的學術特色。讀者可綜合比較閱讀，以便更好地理解并挖掘日本漢方醫學後世方派的學術精髓。

曲直瀨道三主要活躍於十六世紀中後期，以其爲鼻祖的後世方派注重吸收中國宋金元明醫學精華，尤其推崇李東垣、朱丹溪兩位醫家的醫學思想。十七世紀中葉，日本著名醫家名古屋玄醫提出醫學復古論，倡導回歸張仲景《傷寒論》《金匱要略》的古醫學，之後又有後藤艮山、香川修德、吉益東洞等名醫及弟子繼其衣鉢。這些醫家自稱爲古方派。在漢代盛行的仲景古方，經他們的闡釋發揮，被賦予了新的生命。本叢書收録的《傷寒論金匱要略藥性辨》《古方藥説》二書，均是爲日本醫者更好地運用仲景醫方而作。《傷寒論金匱要略藥性辨》對仲景醫方所用的藥物逐一辨正，注重鑒别藥材的真僞優劣與相似藥材的辨别應用，側重於闡釋藥物的藥性、功用、主治與臨床應用。《古方藥説》的作者宇治田泰亮，曾師從古方派吉益東洞的弟子中西惟忠與當時的本草大家小野蘭山，兼通傷寒、本草。該書詳細論述了仲景方中部分藥物的名稱、形態、産地、真贋優劣、炮製加工及替代用品。除古方派醫家在研究仲景方中的藥物外，折衷派醫家也對仲景方中的藥物多有研究，如折衷派代表人物淺田宗伯。其書《古方藥議》收録部分仲景醫方用藥，分「釋品」與「釋性」兩項記述藥物，結合仲景原方藥物組成及藥味加減，闡釋藥物的性味、功用，重視藥物的配伍，處處體現出方中有藥、藥中有方的思想。三部醫籍雖分屬古方派和折衷派的本草著作，側重點各有不同，但也存在許多共通之處。例如，三書記載藥物的次序，均依從相關醫方在《傷寒論》《金匱要略》出現的先後順序。讀者若能綜合參閲上述三書，既可加深對日本江户時代古方派用藥特點以及當時藥材種植、采收、炮製與流通情况的了解，又可對仲景醫方用藥有更深刻的認識，臨證運用時也會更加得心應手。

江户時代中期，日本傳承舊學的本草學術漸廢，諸家新説盛行；中國明代李時珍撰著的《本草綱目》也已傳入日本。《本草綱目鈞衡》即是一部運用傳統文獻考據方法研究《本草綱目》的本草學專著。該書對李時珍所載部分藥物逐一進行考證、詮釋和校勘，徵引文獻廣博，尤其推崇中國宋代唐慎微的《經史證類備急本草》，糾正了《本草綱目》中存在的部分錯誤。

除前文所述今大路玄淵所傳《醫方軌範》外，本叢書還收録日本《管蠡備急方》《崇蘭館試驗方》與越南《家傳醫方》三部方書。其中，《管蠡備急方》博引中國明以前歷代諸家方書，經由日本醫學世家度會家族歷代驗證，精選并收録臨證各科效驗良方。全書按疾病分門，因病立門，門下首述醫論，次列方藥，醫者臨證可按病索方，簡明實用。《崇蘭館試驗方》所載之方，多爲日本名醫福井楓亭口授的家傳臨證試驗良方。該書以日語假名讀音爲序記載方劑，所録醫方來源廣泛，總以《傷寒論》《金匱要略》《備急千金要方》《外臺秘要》《太平聖惠方》《太平惠民和劑局方》爲主，兼采中國清以前歷代重要醫書，反映了楓亭既重視經方，又兼用時方的學術特點。此外，越南醫籍《家傳醫方》一書，主要輯録中國明代李梴《醫學入門》和龔廷賢《萬病回春》二書的相關内容，通過取捨化裁，歸納記述了數十種臨床常見病證的對應治方，便捷實用，富有特色。

醫家臨證除采用方藥療病之外，還常應用針灸療法。本叢書收録李氏朝鮮《穴處治法》與越南《針灸法總要》兩部針灸專著。《穴處治法》主要記述經穴、别穴、針灸治療、折量法、針灸擇日等五項内容，其中經穴内容主要引自中國明代李梴《醫學入門》，後四項内容則主要摘自李氏朝鮮時期太醫許任《針灸經驗方》。全書編排巧妙，内容豐富，簡明實用。《針灸法總要》彙聚中國明代徐鳳《針灸大全》、李梴《醫學入門》和龔廷賢《壽世保元》等著作中的針灸醫學精華，主要記載針灸禁忌、五輸穴、靈龜八法主治病證、十四經脉循行流注及其重點腧穴定位、經絡起止、明堂尺寸法、八脉交會穴、奇穴治法等。儘管兩部針灸專著分别出自不同國家醫者之手，但均引用了中國《醫學入門》一書，都收録了十四經穴、骨度分寸定位法、針灸禁忌等内容，皆側重應用特定穴、奇穴，可謂異曲同工，殊途同歸。

周邊國家在學習中國醫學的過程中，漸漸形成了本土化特徵，或衍生出本國的醫學特色。如《家傳活嬰秘書》是一部獨具越南本土特色、自成體系的兒科專著。該書係越南「四民醫館」的家傳經驗秘笈。書中首先論述兒科諸病的見症分型與辨證方法；其次設「置藥治病列湯於下」，載述各種疾病對應的藥方及變方；再次是「治嬰各症方藥」，記載小兒常用治方；从次爲「論外湯症」，詳論以他藥煎湯送服丸、散劑的方法；最後列出兒科常用藥物的漢喃對照。如此環環相扣，自成一體，精審巧妙。其中，「論外湯症」一章，多以一味或數味藥煎湯送服丸、散劑，煎湯之藥隨症狀不同而變化，故隨煎湯之藥的變化，有效地擴充了單種丸、散劑的應用範圍。又如李氏朝鮮《雜病提綱》一書，依次記載雜病提綱、疾病分類、疾病治方，書中内容雖大多源於《醫學入門》《東醫寶鑑》，但經過作者巧妙編排，全書層次分明，内容系統，具有較高的臨床參考價值。再如，部分方書中開始出現一些未見載於中國醫籍的方劑，福井楓亭《崇蘭館試驗方》中收録的若干日本「和方」和福井「家傳方」等，即爲日本醫家自創之方。

前來中國拜師學醫，閲讀中國醫著，師承通曉中國醫學的本國醫家，閲讀本國名醫整理彙編中國醫學的相關著作，是海外醫者學習中國醫藥學的四種主要途徑。然而，前兩種途徑實施起來相對困難，故日本、朝鮮、越南三國名醫大多旁徵博引，取捨化裁中國醫籍以教化後學。以日本江户時代考證派名家多紀元簡遺作《櫟蔭先生遺説》爲例。該書係由元簡之子多紀元堅輯録而成，各篇之間獨立成文，主要論及痙病、麻疹、痔疾、脚氣、小兒吐乳、青腿牙疳，以及藥論、書論、醫論、醫事考證，同時收録元簡治療經驗、見聞心得。全書内容豐富，涉及醫學的方方面面，較好地體現了元簡精於考證、引録廣博、醫術精湛、治驗頗豐的學術特點。書中標注的參考引用著作近九十種，其中援引中國秦漢至清代歷代醫籍五十餘種，中國歷代非醫學文獻近三十種，旁及日本本土醫書五種、朝鮮醫籍二種。書中所引醫學文獻涵括醫經、傷寒、金匱、方書、本草、診法、兒科、外科、針灸、醫論、醫話等衆多類別。此外，該書引文中還提及二十餘位人物，其中絶大多數爲醫家。海外醫家將中國醫學重新化裁編排撰著成書後，部分著作還回流中國，引起中國醫家的重視。如中國清代曾多次刊刻發行，一九四九年以後又多次校注出版，在國内流傳較廣的《勉學堂針灸集成》一書，主要摘録了朝鮮太醫許任《針灸經驗方》全文與朝鮮名醫許浚《東醫寶鑑》的針灸相關内容。該書與本次收載的《穴處治法》一書關係密切，其間的淵源值得進一步考證。

但海外醫者對中國醫學的學習，更加强調其臨床實用性，往往首先汲取適於臨床運用的方法而捨弃醫理闡發的内容。日、韓、越均有一批對中國醫學研究得非常透徹的名醫大家，他們爲方便本國醫者學習和運用中國醫學，汲取中國醫學中最爲精華的部分，將中國醫學化繁爲簡，由博返約，促使其簡約化、本土化。如曲直瀨道三一派借鑒佛經中的經疏形式，巧妙運用綫段、圖表來提煉、歸納中醫藥的關鍵要素，或梳理錯綜複雜的醫理邏輯，用簡潔直觀的方式表達深奥的中國醫藥知識，極大地方便了日本民衆學習應用中國醫學。周邊國家還根據本國國情有選擇地學習吸收中國醫書的内容。如越南地處東南亞中南半島東部，大部分地區爲熱帶季風氣候，濕熱邪盛，國民患病以陽證爲主，故越南方書《家傳醫方》所載病證多爲陽證，陰證較爲少見。

本叢書收録的二十種海外醫籍，雖然有十五種爲鈔本，但其文獻研究價值與臨床實用價值不可小覷。從醫書分類角度而言，本叢書囊括醫經、醫論、本草、醫方、針灸、兒科、臨證綜合及醫學全書。從醫學流派與作者而言，涵蓋日本江户時代後世方派、古方派、考證派和折衷派幾大主流醫學流派，作者則涵括日本、越南兩國衆多名醫大家。書中所收本草著作，既有對張仲景古方用藥的闡釋發微，又有對李時珍《本草綱目》的考證。收録方書，多爲家族世代相傳的效驗良方。傳統醫藥學的理、法、方、藥在本叢書中均有很好的體現。但海外醫籍更加注重著作内容的實用性、簡約化，且具有不同國家的本土特色。

中、日、韓、越四國地理相近、交流頻繁，長期持續不斷的醫學交流，使得彼此的醫學思想、理論、學術和醫療技藝相互交叉貫通，血肉相連，共同爲人類的醫療衛生保健事業做出了巨大貢獻。本次所精選的二十種海外漢文傳統醫籍，獨具特色且國内罕見，能够在一定程度上呈现出中國醫學在海外傳承發展的不同側面，展現出日、韓、越傳統醫學各自的特色，較好地體現了中、日、越、韓之間的醫學發展、傳承流變、共性特色和交流互動。且本次所選之書内容豐富，涵蓋面較廣，具有較高的學術研究價值、文獻參考價值與臨床實用價值，將有助於研究中國醫學對周邊國家傳統醫學的深遠影響，能爲國内廣大中醫藥工作者拓寬思路、開闊視野創造良好的條件。

總之，本研究團隊以「一帶一路」沿綫國家的傳統醫學文獻爲切入點，繼續挖掘具有代表性的海外傳統醫學古籍，再次遴選，影印出版《海外漢文古醫籍精選叢書・第二輯》。希望本叢書能夠吸引更多國内學者關注中外醫學交流的源流與本質，以促進中醫藥的全面發展。本研究團隊也希望不負恩師之望，繼續努力將更多的海外醫籍精品介紹給國内的中醫藥工作者。

蕭永芝　韓素傑

目録

海外漢文古醫籍精選叢書·第二輯

難經捷徑

（日）曲直瀨玄由　撰

内容提要

《難經捷徑》二卷，是《難經》的校注本，由日本醫家曲直瀨玄由撰於寬永十四年（一六三七）。此書全文注解《難經》原文，其注祖述《黄帝内經》，博采《難經本義》《圖注八十一難經評林捷徑統宗》《圖注八十一難經》等諸家之言，參以己見，闡發《難經》之旨，是日本現存較早的《難經》注解性著作，具有較高的研究價值。

一　作者與成書

《難經捷徑》全書兩卷，各卷之首在書名之下皆題署「壽德庵玄由九拜」；書末有文政三年庚辰（一八二〇）松澤老泉手書跋文一則，文中載「此《難經捷徑》者，爲壽德庵玄由著述，京師書肆風月宗知爲活字刊行」。由此可知，此書爲壽德庵玄由所撰。此書卷下之末鐫有「寬永十四丁丑年孟秋中旬／二條通觀音町／風月宗知刊行」的牌記。此外，上卷七難中注解「三陽三陰」時，引元代滑壽《難經本義》之言，其後小字按語云：「自上古冬至至今年寬永十四年丁丑，積年七兆零七萬零九百五十三年也。」可見，此書刊成於寬永十四年丁丑（一六三七）。

壽德庵玄由即曲直瀨玄由（？——一六四四），號壽德院（庵），爲日本安土桃山時代至江户時代前期的名醫。玄由是初代曲直瀨道三（正盛）的弟子，娶道三養女爲妻，屬曲直瀨家支系，爲壽德院家之祖。玄由因醫術精湛，多次治愈武將、名僧之疾而醫名日盛，深得後水尾天皇賞識，獲賜「法印」之號。玄由撰有《難經捷徑》《難經本義鈔》《知要一言》《本草序例鈔》等醫學著作。日本漢醫界古方派鼻祖名古屋玄醫爲其再傳弟子。此外，玄由喜好連歌（日本古代詩歌的一種），與京都文人過從甚密，撰有《連歌合集五七》等。

二　主要内容

《難經捷徑》二卷，書首有序言一篇，先引宋代吕祖謙《史記詳節》之文，簡述《難經》一書的作者，并概述了《難經》的成書及流傳經過。

正文全面注解《難經》原文，間有對《難經》字詞的考釋、校勘。其中，上卷注解一難至三十難，下卷注解三十一難至八十一難。文中先頂格書《難經》原文，其字裏行間穿插小字按語，内容有校有注。如上卷十三難「上工者，十全九；中工者，十全[八]經作七；下工者，十全六。此之謂也。末四字，越人之詞也矣」，此處玄由將「八」字用墨綫框括，其下以小字注曰「經作七」，「也」字下注云「末四字，越人之詞也矣」；二十七難「經有十二，絡有十五，凡二十七，氣相隨上下，何獨指奇經不拘制於經也」一句，「獨」字下有小字注解「指奇經」，「拘」之下有小字注文「制」。再空一格舉諸家之言并闡述玄由的個人見解，行文間亦有小字按語，既有作者個人觀點，也有徵引的他家論述。若爲作者本人見解，則多以「私曰」

「愚意」「私案」「謹案」「愚竊案」「予曰」等引出具體論述。如在二十二難「然《經》言是動者氣也，所生病者血也」一句之下，有小字注曰「私曰：若不用此點，則恐經言二字當成冷語歟否」。若爲引用則注明出處，一般在引文之首以小字或大字標出，或在引文之末以小字注明，如「本義曰」「評林曰」「圖注曰」等。不同出處的引文或論述之間，多以「○」相隔。

三 特色與價值

《難經捷徑》一書，采取校注結合的形式研究《難經》，薈萃歷代諸家注解《難經》的成果，校正訛誤，訓釋字詞，注明讀音，考證出處，確定穴位，闡發旨意，對中醫經典醫籍《難經》做了比較全面的校勘、注釋和闡發。今重點考察此書中的大字、小字注文，分析其特點如下。

（一）在校勘方面

此書既有對他人校勘成果的直接引用，也有作者個人的校勘。引前人之校，如上卷十四難，在「有再呼一至，再吸一至，有呼吸再至。脉來如此，何以别知其病也」句中，「有呼吸再至」以墨綫框括，注中引用《評林》之語，曰「但内有呼吸再至五字則重出，即上文一呼一至、一吸一至二句耳」。又此難「再呼一至，再吸一至，呼吸再至《本義》云：此四字，即前衍文，名曰無魂」句中，「呼吸再至」之下，小字注云「《本義》云：此四字，即前衍文」。作者個人的校勘，如上卷二十三難「終始者，《靈樞》於此有經字脉之紀綱也」句中，「脉」字之上有小字注文「《靈樞》於此有經字」；「綱」字爲小字，是玄由自行增補。

書中既校《難經》原文，也校玄由自己引用之文。對《難經》原文的校勘，如前述第二例。對玄由引文的校勘，如上卷十五難「脾者，中州也，其平和不可得見，衰乃見耳。來如雀之啄，似水之下漏，是脾之衰見耳」一句，玄由注引《素問・玉機真臟論》之言，且在引文最後以小字校注「新校正云：喙作啄」。

從校勘方法的角度考察，玄由多運用他校法。如上卷二十七難「當此之時，霶霈妄作《脉經》於此處有當此之時四字，聖人不能復圖也」句中，「妄作」之下注曰「《脉經》於此處有當此之時四字」。書中也有對校法與他校法的聯合應用。如上卷二十八難「任脉者，起於中極之下，以上至毛際，循腹裏，上關元，至咽喉，上頤循面，入目絡舌。末句八字，另本無之，《圖注》有之也」一文，句末小字注云「末句八字，另本無之，《圖注》有之也」。

（二）在注釋方面

玄由融會前賢諸説，參以部分文史文獻，并在此基礎上發揮己意，闡釋《難經》之旨。縱觀全書，其注釋内容主要有以下幾種形式。

第一，釋詞義。此即解釋經文中個别字詞的含義。如下卷釋四十三難中「平人」一詞，曰「平人者，不病之人也」。又如下卷釋五十六難「賁豚」的「豚」字，言「豚者，豕之子曰豚，所謂家猪之名也」。

第二，明讀音。玄由主要采用直音法與反切法爲個别字詞注音。此類注釋多直接引用其他醫書的注解。如在上卷四難「牢而長者肝也，按之濡《俗解》云音軟」句中，「濡」字之下有「《俗解》云音軟」五字；在上卷七難「厥陰之至，沉短而敦《集注》都昆切，厚也，重也」一句，「敦」字之下有「《集注》都昆切，厚也，重也」。又如下卷訓釋三十一難「其治在膻中，玉堂下一寸六分兩乳間陷中是《素問鈔》曰：膻，徒旱切，上聲，濁音」，注其中的「膻」字云「《素問鈔》曰：膻，徒旱切，上聲，濁音」。

第三，考出處。此即考察《難經》原載《黄帝内經》經文的出處。如上卷三十難「《經》言《靈樞·營衛生會篇》：人受氣於穀，穀入於胃，乃傳於五臟六腑」句中，「言」字下有小字注文「《靈樞·營衛生會篇》」。又如下卷三十五難「《經》曰《靈蘭秘典論》：小腸者，受盛之府也」，在「曰」字之下，玄由以小字注曰「《靈蘭秘典論》」。

第四，定穴位。玄由直接在《難經》原文中的腧穴名稱之下，以小字注其取穴定位，間有考釋。如下卷注解六十六難十二原穴，釋肺之原「太淵」，曰：「太淵在掌後横紋頭陷中，是脉之大會，手太陰之脉動也」。在考釋心包經之原穴大陵時，玄由除點明該穴之定位外，還以「或曰」「按」的形式自設問答，針對《靈樞》《難經》以大陵爲心之原，而諸針灸醫籍「以大陵爲手厥陰心主之俞」的兩種不同説法，援引《靈樞·邪客》《靈樞·本輸》之言予以闡釋，并指出元代滑壽的《難經本義》對此亦有詳細論述，爲讀者進一步閲讀研究提供了綫索。

第五，彙粹諸家，闡發《經》旨。此書引用廣泛，其中徵引的明以前的醫學類文獻主要有《黄帝内經》，東漢張仲景《傷寒論》，晋代王叔和《脉經》、皇甫謐《針灸甲乙經》，唐代孫思邈《備急千金要方》，宋代劉温舒《素問入式運氣論奥》、施發《察病指南》、李駉《黄帝八十一難經纂圖句解》。

金元時代醫籍有張從正《儒門事親》、李東垣《内外傷辨惑論》、朱丹溪《脉訣指掌圖》、滑壽《難經本義》《十四經發揮》、王好古《此事難知》《醫家大法》、戴起宗《脉訣刊誤》、王珪《泰定養生主論》等。

明代醫書有王文潔《圖注八十一難經評林捷徑統宗》、熊宗立《勿聽子俗解八十一難經》、張世賢

《圖注八十一難經》、王九思等《難經集注》、劉純《醫經小學》《玉機微義》、虞摶《醫學正傳》、趙繼宗《儒醫精要》、萬全《保命歌括》、徐春甫《古今醫統大全》、樓英《醫學綱目》、繆存濟《識病捷法》（書中誤作《識病捷經》）、李梴《醫學入門》、李時珍《奇經八脉考》《本草綱目》、龔信《醫學源流肯綮大成》、吴崑《脉語》、方有執《傷寒論條辨》、羅周彦《醫宗粹言》、趙台鼎《脉望》。

日本醫籍有多紀元簡《扁鵲八十一難経弁正條例》。

書名、作者或時代暫時不明確的有《素問音釋》《證義》《講義》等。

非醫學類文獻有西周《易經》、李耳《老子》，春秋時期孔子《論語》，戰國時期孟軻《孟子・萬章》與莊周《莊子》，漢代劉向輯録《楚辭》，南朝時期三藏求那跋陀羅譯《楞伽經》，唐代張守杰《史記正義》，宋代吕祖謙《史記詳節》，元代熊忠《韵會》，明代熊宗立《類編曆法通書大全》，以及日本東麓破衲《下學集》等。時代和作者信息暫不明確的有《詩經素注》《新張字》《周易解卦録》《越人决語》《林子大全》等。

此外，作者玄由有時會以人名點明引文出處，書中出現的醫家人名如楊玄操、丁氏（丁德用）、馮玠、龐安常、周仲立、通真子（劉元賓）、吴仲廣、李晞范、紀氏（紀天錫）、潔古（張元素）、丹溪先生（朱丹溪）、王履、張世賢、李時珍、春甫（徐春甫）、汪機、馬玄台、戴同甫、四明陳氏等，非醫家如蔡西山（蔡元定）、圭齋歐陽公（歐陽玄）等。

在以上衆多引用文獻中，從成書時代來看，多爲明代文獻；從引文的數量及引用頻次來看，以歷代《難經》注本爲多，如南宋時期李駉《黄帝八十一難經纂圖句解》、元代滑壽《難經本義》、明代王文潔

《圖注八十一難經評林捷徑統宗》、熊宗立《勿聽子俗解八十一難經》、張世賢《圖注八十一難經》、王九思等《難經集注》等。

在諸家《難經》注本中，此書徵引最多的前三種分别是《難經本義》《圖注八十一難經評林捷徑統宗》《圖注八十一難經》。其中，《難經本義》爲元代滑壽所撰《難經》注釋之作，成書於一三六一年。書中參考元以前諸家注本及有關醫籍詮注《難經》，融會諸家之説，結合己見予以發揮，在《難經》注本中影響較大，被譽爲《難經》注解之範本，在日本亦流傳甚廣，曾有多種日本刻本行世。玄由不僅在注解《難經》時大量引用《難經本義》之文，還曾於寬永六年（一六二九）編撰《難經本義鈔》六卷，可見其對《難經本義》十分重視。明代醫家王文潔所著《圖注八十一難經評林捷徑統宗》，具體成書年代不詳，明萬曆二十七年（一五九九），與《鍥王氏秘傳叔和圖注釋義脉訣評林捷徑統宗》合刊爲《合并脉訣難經太素評林》，單行本與合刊本皆有日本刻本。玄由在《難經捷徑》書中，大量引用了《合并脉訣難經太素評林》之文。張世賢《圖注八十一難經》刊於明正德五年（一五一〇），該書折衷諸家之説隨文注釋《難經》，通俗淺易，流傳極爲廣泛，是刊行最多的《難經》注本。該書的内容亦被玄由多次引録。

儘管玄由校注《難經》時多引衆家之言，集諸家之粹，但并非單純照搬，而是有選擇、有比較、有傾向、有評價。如上卷注解十四難「上部有脉，下部無脉，其人當吐不吐者死」一句時，引用金代醫家紀天錫與李東垣《内外傷辨惑論》的觀點，并指出「右二説内，宜從李之義」；又如上卷注十六難「其内證，臍左有動氣，按之牢若痛」，玄由注釋句中的「若」字時，指出「《本義》《俗解》等注於或字也，俱未中乎肯綮。古人若與而通用，不可勝記矣。」

此外,此書中還穿插繪製相關圖示,以輔助理解《難經》原義。如下卷四十難之前有「四十難發明耳聞鼻臭圖」;又在下卷五十三難中,以《素問·標本病傳論》《素問·玉機真臟論》爲依據,繪圖以幫助理解「七傳者死,間臟者生」的含義。

綜上所述,《難經捷徑》校注結合、以注爲主,研究中醫理論經典《難經》,旁徵博引,附以己見,其校勘、注釋頗有獨到之處,可供讀者參考借鑒。

四　版本情況

《難經捷徑》於寬永十四年(一六三七)由日本風月宗知以活字本初刊,現存兩部,分别藏於日本國立國會圖書館、東北大學圖書館狩野文庫。❶

本次影印采用的底本,爲日本國立國會圖書館所藏寬永十四年(一六三七)古活字本。此本藏書號「WA7—135」,二册二卷,五眼裝幀。封皮有髒污,書簽及書名漫漶不清。四周雙邊,無界格欄綫,每半葉十行,每行十五字。黑口,上下雙花魚尾,版心題書名及葉碼。正文部分可見眉批、朱筆句讀、和文訓釋,書中有多處補字。書末刻牌記「寬永十四丁丑年孟秋中旬/二條通觀音町/風月宗知刊行」。牌記之後有跋文一則,落款爲「庚辰九月十一日　慶元堂　松澤老泉」。

綜上所述,《難經捷徑》爲經典醫籍《難經》的日本校注本。作者曲直瀨玄由一方面靈活運用他

❶ (日)國書研究室.國書總目録[M].東京:岩波書店,一九七七:(第六卷)二九二.

校、對校等校勘方法，既闡發個人觀點，又引用他人著述，校正了《難經》原文中的訛、脱、衍、倒等文字錯誤；另一方面，廣泛徵引明以前的醫學文獻，旁及非醫學類文獻，并結合個人見解，全面注解《難經》條文。全書校注結合，以注爲主，在《難經》校注本中較有特色。今將此書影印出版，希望有助於讀者了解《難經》及其注本在日本的流傳及影響，能爲深入研究《難經》提供新的資料和視角。

杜鳳娟　蕭永芝

7
135

史記詳節曰扁鵲者勃海郡鄭人也徐廣曰鄭當爲鄚鄚縣名姓秦氏名越人少時爲人舍長索隱曰舍長守客館之長舍客長桑君過舍客舍中之客性長桑名過也扁鵲獨奇之常謹遇之長桑君出入十餘年乃呼扁鵲私坐間與語曰我有禁方欲傳與公乃出其懷中藥予扁鵲飲之以上池之水索隱曰上池之水謂水未至地露及竹木上水三十日當知物矣乃悉取其禁方書盡與扁鵲忽然不見殆非人也扁鵲以其言飲藥三十日視見垣一方人

索隱曰方邊也能隔墻見彼方之人以此視病尽見五臟癥結特以診脈爲名耳

邵菴虞先生嘗曰史記不載著難經而隋唐書經籍藝文志定著越人難經之目作史家者有載難經數章愚意以爲古人因經設難或與門人弟子答問偶得此八十一章耳未必經之當難者止此八十一條難由經發不特立言且古人不求托名於書故傳之者唯專門名家而已其後流傳寖廣官府得以錄而

著其目註家得以引而成文耳
玉海六十三曰八十一難經醫經之秘
錄也岐伯授黃帝黃帝歷九師以授伊
尹伊尹授湯湯歷六師以授太公太公
授文王文王歷九師以授醫和醫和歷
六師以授秦越人秦越人始定立章句
歷九師以授華佗華佗至魏華陀其文燒
失詭其燒失有二説詳記于別鈔故今
此畧焉耳其後及吳太醫令呂廣重編
此經而尚文義差迭按此則難經爲燹

餘之文其編次復重經呂廣之手固不能無缺失也由此本義等論闕誤總類者此之謂也

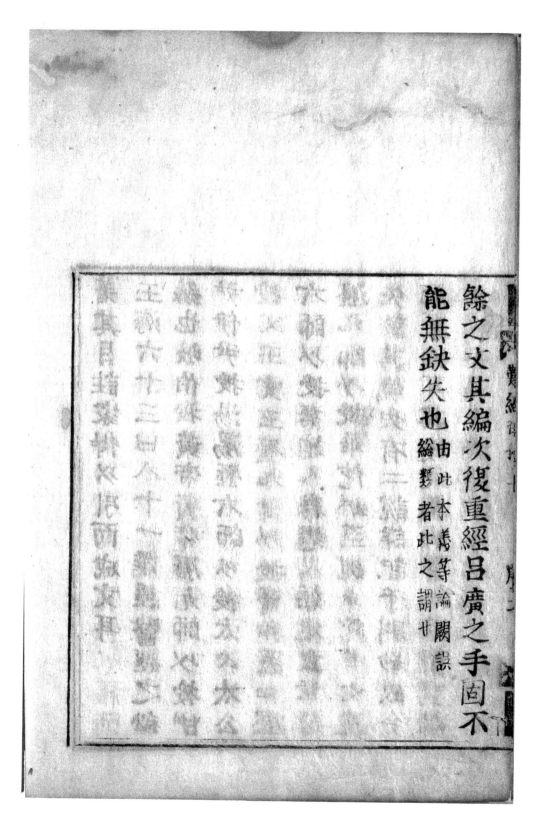

難經捷徑

壽德菴玄由九拜

一難曰十二經皆有動脉獨取寸口以決五臟六腑死生吉凶之法何謂也

圭齋歐陽公曰難經先秦古文漢以來荅客難等作皆出其後又文字相質難之祖也 粹言曰 蓋秦越人因上古玄文不易精悟恐後之學者泥詞害義認肺之一部感之將內經灵樞深奧該發明者八十一條設爲問荅

名曰難經即第一難曰十二經皆有動脉謂大腸脉動於結喉之人迎胃脉動於沖陽之類之餘畧此十二經皆有動脉也獨取寸口以決五藏六府生死吉凶之法處寸口二字誤爲右寸一部可決殊不知六部皆是寸口稱之者也因其手太陰一經獨有此寸関尺之動脉異於諸經而言之矣本義三難註亦曰一難言寸口統陰陽關尺而言二難言尺寸以陰陽始終對待

而言関亦在其中矣三難之覆溢以陰陽關格而言合而觀之三部之義備矣一二難言陰陽之常三難言陰陽之変〇私曰一難二難謂之通称別称寸口

然寸口者脉之大會手太陰之脉動也

然者答辞也有許問之意也莊子逍遙篇口義云然者言固是如此也下倣此

此粋言曰復鳴何謂也答云然寸口者脉之大會手太陰之脉動也蓋謂其衆脉皆會於手太陰之經而言不謂肺

之一部益明矣云云

人一呼脉行三寸一吸脉行三寸呼吸定息脉行六寸人一日一夜凡一萬三千五百息脉行五十度周於身漏水下百刻通晉大全銅壺晝夜百刻圖云每一時有八刻二十分每刻有六十分云云然本義曰每時八刻云者誤也故評林曰刻数息数脉数雖明時則未合矣〇十四經曰漏刻雖有長短之殊而五十度周身者均在其中也榮衛行陽二十五度行陰亦二十五度爲一周也故五十度復會於手太陰寸口者五藏六府之所終始故法取於寸

口也脉經作取法於寸口也○筭法在俗解詳記另紙醫學綱目刊誤注註曰榮氣之行自手太陰始足至厥陰終一周於身也詳其一周於身外至身體四肢內至五藏六府無不周遍故其五十周無晝夜陰陽之殊衛氣之行則不然晝但周陽於身體四肢之外不入五藏六府之內夜但周陰於五藏六府之內不出身四肢之外故五十周至平旦方與榮大會於肺手太陰也戴同甫曰榮與衛也其異如此

然而行干身也晝夜五十周則榮與衛一也故馬玄臺註素問云難經增一衛者誤也雖然讀于經目榮衛本宗氣之呼吸則扁鵲無誤行陽行陰者自榮衛而言則行晝行夜行表行裏也所終始者手太陰肺經始自中焦終于太淵究以其終爲其始故曰所終始也

二難曰脉有尺寸何謂也然尺寸者脉之大要會也從關至尺是尺內陰之所治也從關至魚際是寸口內陽之所治也故分寸爲尺分尺爲寸故陰得尺內

一寸陽得寸内九分尺寸終始一寸九分故曰尺寸也

刊誤曰蔡氏曰手太陰之脉自肘中横紋至魚際横紋得同身之一尺一寸自肘中横紋前尽一尺爲陰之位自魚際後一寸爲陽之位太陰動脉前不及魚際横紋一分後不及肘中横紋九寸故古人于寸内取九分尺内取一寸寘契陽九陰十自然之數尺寸之間謂之關關者陰陽之限也○

素問言脉之部位止言尺寸未言関也至扁鵲難經乃言有關部在尺寸之交蓋扁鵲假設關位而寓於尺寸之交以為三部也其實只有尺寸而已〇千金載黄帝問曰何謂三部脉也岐伯曰寸關尺也今考黄帝書無此說思邈假托耳〇通真子曰素問三部九候論所述三部言身之上中下部非謂寸關尺也〇分猶別也其別之者関也〇評林曰一寸者十分

也十数者偶也應老陰之数也

三難曰脉有太過有不及有陰陽相乗有覆有溢（集註音益雖然先輩皆用乙音）有關有格何謂也（本義與丹溪脉訣有圖宜參考之）

然關之前者陽之動也脉當見九分而浮過者法曰太過減者法曰不及（愚意記首）遂上魚為溢為外關内格此陰乗之脉也關以後者陰之動也脉當見一寸而沉過者法曰太過減者法曰不及遂入尺為覆為内關外格此陽乗之脉也故

曰覆溢是其眞藏之脉人不病而死也遂字最為切緊詳其旨於後耳龐安常脉論曰察脉之要莫急於人迎寸口是二脉相應如两引繩陰陽均則繩之大小等何謂人迎喉傍取之内經所謂别於陽者也越人不尽取諸穴之脉但取手太陰之行度魚際後一寸九分以配陰陽之数而得關格之脉然不先求喉手引繩之義則特尺寸陰陽關格之所起寸口倍於尺則上魚而為溢

故言溢者寸倍尺極矣溢之脉一名外關一名内格一名陰乘之脉曰外關者自關以上外脉也陰拒陽而出故曰外關陰生於陽寸動於尺今自關已上溢於魚際而關以後脉伏行是為陰壯乘陽而陽竭陽竭則死脉有是者死矣此所謂寸口四倍於人迎為關陰之脉者也關已後脉當一寸而沉過者謂尺中倍寸口至三倍則入尺而為覆故言覆者尺倍寸極

矣覆之脉一名内關一名外格一名
陽乘之脉内關者關巳下内脉也外
格者陽指陰而内入也陽生於陰尺
動於寸令自關巳下覆入尺澤而關
以下脉伏行則為陽亢乘陰而陰竭
亦死脉有是者死矣此所謂人迎四
倍於寸口為格陽之脉也經曰人迎
與寸口皆盛過四倍則為關格關格
之脉羸不能極天地之精氣而死所
謂關格者覆溢是也◎本義曰此篇

言陰陽之太過不及雖為病脉猶未至危殆若遂上魚入尺而為覆溢則死脉也此遂字最為切緊蓋兼上甚下之要言不然則太過不及陰陽相乘関格覆溢渾為一意漫無輕重矣或問此篇之陰陽相乘與二十篇之説同異曰此篇乃陰陽相乘之極而為覆溢二十篇則陰陽更相乘而伏匿也吏之一字與此篇遂字大有逕庭更者更互之更遂者直遂之遂而覆

溢與伏匿又不能無辨蓋覆溢爲死脉伏匿爲病。脉故不可同日語也

四難曰脉有陰陽之法何謂也然呼出心與肺吸入腎與肝呼吸之間脾受穀味也其脉在中浮者陽也沉者陰也故曰陰陽也

菴下小子謂予曰附錄機按但此與刋誤並以輕重而分胗藏府之脉不知何所據也意者藏屬陰主沉府屬陽主浮故以義取輕重爲胗或邪他

本又謂內以候藏外以候府其義亦猶此也然考之脉經及素難諸書只論五藏之脉于六府之脉難言之而不詳六府病脉雖間或言之脉法輕重亦未之及蓋謂藏脉可以兼府歟抑謂能知藏脉而府脉無勞脉歟或病在六府為輕而脉無要緊歟愚皆莫解其意也且所論五藏脉狀及六府脉狀與下篇大不相侔亦不知其何所本也故著之以俟明者　又會解

曰或問王氏謂中取胃氣君已直致疑矣其曰浮以取腑沉以取臟不將亦皆非耶曰茲果不敢阿以爲是也然億其非也亦自有由蓋以經絡之際重泥文辭之偏焉亦何則臟之經原屬夫陰腑之經原屬夫陽陰則似當爲裏陽則似當爲表故王氏遽斷以浮取乎腑而沉取乎臟也害如其說則病外感發熱者止浮決於大腸而反遺乎肺內傷怯弱者止浮決於

小腸而反遺乎心豈理也哉殊不知心肺雖經屬夫陰而位皆居上大腸小腸雖經屬夫陽而位皆居下浮沉專主位言則心肺固當浮取而大腸小腸固當沉取也已云右二說甚矛盾矣隨何說而可耶予曰附錄之見解似難經十難以微爲府以甚爲藏會解之見解似素問脈要精微論之意記于下粹言三卷曰素問脈要精微論云尺內兩旁則季脇也尺外以候腎尺裏以

候腹中附上左外以候肝內以候鬲右外以候胃內以候脾上附上右外以候肺內以候胸中左外以候心內以候膻中前以候前後以候後上竟上者胸喉中事也下竟下者少腹腰股膝脛足中事也〇夫遵素問分配各經部位者此追古之道窮源究極之理也但世之遵王叔和表裏合一之說千有餘年而叔和又留之探微索隱究素難而得其精者故孫思邈

張潔古李東垣劉河間朱丹溪皆莫之易焉由是舉世信之遵之習而成之今一旦易之以素問之說則人必以尚異好奇目之而醫之正脉反阻塞而不流行矣今依叔和所定配合而詳載之庶學者知所趨向而不惑于多歧焉

○其脉在中　此難之内既在二盱似易言而甚難言矣儒醫精要所謂非指兩関之脉若謂不然十八難所

言部有四經之文何以解之耶凡脉六部似天地化六微旨大論曰顯明之右君火之位也君火之右退行一步相火治之復行一步土氣治之所謂脾之位也復行一步金氣治之復行一步水氣治之復行一步木氣治之復行一步君火治之是次列五行相生之理也凡人六脉部位亦同之其圖載医學綱目第二卷也故會解曰或者又曰諸經既皆位定則脾胃之位居乎中所謂

中取胃氣者又果不差矣曰王氏之定浮沉其失原在於經之陰陽王氏之定胃氣其失又在於位之上下也蓋胃氣之胃非脾胃之胃脾胃之胃氣止一經固可以中名之云云（一經者指足太陰脾經而言也）畢竟脾脉非浮非沉其脉在中之義也及穿鑿則又可落第二義門也

心肺俱浮何以别之然浮而大散者心也浮而短濇者肺也（俗解曰别少列切）

腎肝俱沉何以別之然牢而長者肝也按之濡（俗解云音軟）舉指來實者腎也古益袁氏謂腎屬水脉按之濡舉指來實外柔內剛水之象也（出於本義載舩可見）脾者中州故其脉在中是陰陽之法也

脉有一陰一陽一陰二陽一陰三陽有一陽一陰二陽二陰一陽三陰如此之言寸口有六脉俱動邪（評林日如此則脉有六等矣果寸口中有此六等脉俱動否）然此言者非有六脉俱動也謂浮沉長

短滑濇也曰寸口則關尺可推矣然此六等之脉者非言共動於一部也謂浮沉長短滑濇六者之脉自有相兼而互見也浮者陽也滑者陽也長者陽也沉者陰也短者陰也濇者陰也所謂一陰一陽者謂脉來沉而滑也一陰二陽者謂脉來沉滑而長也一陰三陽者謂脉來浮滑而長時一沉也所言一陽一陰者謂脉來浮而濇也一陽二陰者謂脉來長而沉濇也一陽三陰者謂脉來沉濇而短時一浮也各以其經所在六部名病逆

順也
夫脉之所至病之所在也以脉與病及經絡藏府參之其爲宜其爲不宜四時相應不相應以名病之逆順也

五難曰脉有輕重何謂也評林曰此言診脉之法有輕重之異也非言脉之輕重也

然初持脉如三菽之重與皮毛相得者肺部也

菽或言大豆小豆俱無害傷寒條弁曰大抵是箇約摸的法見得輕重有差等

非眞如菽之重也尚有講義

如六菽之重與血脉相得者心部也如九菽之重與肌肉相得者脾部也如十二菽之重與筋平者肝部也按之至骨舉指來疾者腎部也

只腎脉不言菽者腎脉之指法旣言至骨至骨則豈有菽耶由此張沖景王叔和蔡西山戴同甫等亦不言菽耳附録曰腎脉沉而軟滑註腎合骨故腎脉循骨而行持脉指按至骨上而得者爲沉次重按之脉道無力爲軟舉指來疾脉道流利者爲滑

故曰輕重
本義曰然於樞素無所見將古脉法而有所授受邪抑越人自得之見邪○評林曰按持脉如三菽之重非指右寸而言凡六脉皆然也蓋皮毛至浮血脉下之肌肉又下之骨又至沉者也故輕重不同安得泥三菽止於右寸等邪私曰是十難所謂一脉爲十變之例

六難曰脉有陰盛陽虛陽盛陰虛何謂也然浮之損小沉之實大故曰陰盛陽

虛沉之損小浮之實大故曰陽盛陰虛是陰陽虛實之意也

王㭨微義熱門曰謹按趙嗣真曰素問論陰陽虛實四證者雜病也難經六難之文論脉也○五十八難所論者傷寒也宜考彼旨

七難曰經言平人氣象論少陽之至上下來去至止之至也非損至之至也下倣此乍大乍小乍短乍長案病指南刊誤附錄曰如此則與祟脉無異何以區别然兩手三部皆然方為祟脉今獨左手關部如此則謂之膽脉可也○私曰疑不然他皆以六脉而言何只膽然耶其祟與膽另

可以脉狀緊緩病症躁靜分別之而已

陽明之至浮大而短太陽之至洪大而長太陰之至緊大而長少陰之至緊細而微厥陰之至沉短而敦集注鄭昆切厚也重也此六者是平脉邪春弦夏鈎秋毛冬石耶將病脉耶浮數爲熱遲沉爲寒之類耶是義見評林也○或作邪或作耶同字然皆王脉也

其氣以何月各王幾日然冬至十一月中也之後得甲子少陽王若冬至之日當甲子則即以其爲初甲子復得甲子陽明王復得甲子太陽王復

得甲子太陰王復得甲子少陰王復得甲子厥陰王王各六十日六六三百六十日以成一歲謂之一歲自此三陽三陰之旺時日大要也

本義曰上文言三陽三陰之王脉此言三陽三陰之王時當其時則見其脉也曆家之說以上古十一月甲子合朔冬至爲曆元自上古冬至至今年寛永十四年丁丑積年七兆零七萬零九百五十三年也指其初謂之上古十一月甲子合朔冬至也合朔者每朔日與月合所謂經積年合今冬至者名之曰曆

元也蓋取夫氣朔之分齊也前所言自一歲也不拘氣盈與朔虛而言也故曰蓋取夫氣朔之分齊也耳○篇首務經言二字攷之樞素無所見平人氣象論雖略有其說而未詳只論三陽而不及三陰故然云耳豈越人之時別有所謂上古文字耶將內經有之而後世脫簡耶是不可知也後凡言經言而無所攷者義皆倣此矣

八難曰寸口脉平而死者何謂也

一難以十二經皆有動脉獨取寸口以決五藏六府之死生則寸口之脉

平者宜乎其不死有其死者何謂乎
然諸十二經脉者皆係於生氣之原所
謂生氣之原者謂十二經之根本也謂
腎間動氣也此五藏六府之本十二經
脉之根呼吸之門三焦之原一名守邪
之神故氣者人之根本也根絶則莖葉
枯矣寸口脉平而死者生氣獨絶於内
也

正傳或問舉此難而其次曰夫所謂
腎間動氣者釋者皆指爲兩尺兩尺

既絶何謂寸口脉平何不言尺中腎
脉而言腎間動氣請明辯以釋吾疑
乎幸甚曰此言寸口脉平而死者亦
兼関尺而論也腎間動氣者臍下氣
海丹田之地也或曰臍下中行乃任
脉所屬與腎何相于哉曰各開寸半
爲第二行皆屬足少陰腎經其臍與
背後命門穴對各開寸半腎腧穴也
故丹田氣海與腎脉相通爲腎之根
也又若有生之初先生二腎胞系在

臍故氣海丹田實爲生氣之源十二經之根本也或曰寸口既平奚疑其死乎此問難頗奇特也曰此爲病劇形脫者論耳內經曰形肉已脫九候雖調猶死凡見人之病劇者人形羸瘦肌肉已脫雖六脉平和尤云云更候臍下腎間之動氣其或動氣未絶猶有可生之理

○脉望曰天機者臍下一寸三分也聖人下手養胎仙之處難經註云臍下

腎間動氣者丹田也人之性命也丹田性命之本道士思神比丘坐禪皆聚真炁於臍下良由此也丹田內有神龜呼吸真炁非口鼻之呼吸也口鼻止是呼吸之門户丹田為炁之本原聖人下手之處收藏真一所居故曰胎息註云臍下一寸三分者謂仰卧而取之入裏又一寸三分者爲是即腎間也

九難曰何以别知藏府之病耶然數者

府也遲者藏也仲景取之数則爲熱遲則爲寒崔劉取之諸陽爲熱諸陰爲寒故以别知藏府之病也

刋誤附錄論八段錦第三指法定宗源註曰崔劉二師止以浮沉遲数四脉定風氣冷熱四病以槩百病原此四者止是雜症若辛胗傷寒外感之疾則有不可通者今取仲景平脉法參以崔劉所傳庶幾並用而無遺恨其曰浮風沉氣遲冷数熱此祖訣論

雜病者也其曰浮在表沉在裏遲在藏數在府今所定傷寒診法也須要知得傷寒與雜症診法皆須以浮沉遲數四脉爲宗而又各有其類不可混雜必得此訣然後可讀脉昏不然則泛無統會也然後又可讀第四通融叶于一條

十難曰一脉爲十変者何謂也邪氣藏府病形篇

然五邪剛柔相逢之意也

本義以剛柔爲陽陰爲府藏俗解與此相反

以陽于陽以陰于陰同氣相求也至

一此二昏同矣

假令評林曰猶言假使止言一以例諸部故著此二字耳餘篇做此矣

心脉急甚者肝邪干心也心脉微急者膽邪干小腸也干者爲言犯也見評林

或問急者肝膽之脉也以甚與微別其藏與府也然則何不言急甚者肝急微者膽

予曰此亦医流一箇相傳也何敢輕易泄之邪下同

心脉大甚者心邪自干心也心脉微大者小腸邪自干小腸也心脉緩甚者脾

邪干心也心脉微緩者胃邪干小腸也心脉濇甚者肺邪干心也心脉微濇者大腸邪干小腸也心脉沉甚者腎邪干心也心脉微沉者膀胱邪干小腸也五藏各有剛柔邪故令一脉輙變爲十也

圖註曰絜古以剛爲陽以柔爲陰態宗立註以甚者爲剛以微者爲柔與絜古相反誠所謂倒行逆施

十一難曰經言脉不滿五十動而一止一藏無氣者何藏也

灵枢根結篇曰五十動不一代者五藏皆受氣四十動一代者一藏無氣今越人改其文如右所言者欲釋於内經之意誠老婆親切也尚詳後○或謂予曰内經既曰代越人改止而叔之者何謂也予曰素問灵枢難經其後仲景只有論病脉代無死脉代止是結促濇代之總名也故其代脉即今世謂止者也之義耳王叔和脉經始論死脉之病脉之代而已先輩曰此唯授一人秘旨

然人吸者隨陰入呼者因陽出今吸不能至腎至肝而還故知一藏無氣者腎氣先盡也本義曰盡猶衰竭也

刋誤曰代者此脉已絶他脉代其至之義一藏氣絶而他藏之氣代而至也脉語雖言代之之説亦難通若非他藏代之少四動之後可顯代脉豈有待四十五十動耶

刋誤載○脉經曰脉來五十投而不止者五藏皆受氣即無病四十投而一止者一藏無氣却後四歳死云予

竊疑之脉語亦曰嗚呼昏不可信者一藏無氣却後四歲春草生而死是也人豈有一歲無氣活四年之理此昏之不可尽信者也世之庸医每每執此數語惑衆爲甚云云內經曰腎絕六日死肝絕八日死心絕一日死果此藏氣絕又安能待四歲三歲乎脉語曰此昏可信者也大抵五十動者脉之大要數必候五十動不可不及五十動而遽不候也

十二難曰經言五藏脉已絕於內用鍼者反實其外五藏脉已絕於外用鍼者

反實其內內外之絕何以別之然五藏脉已絕於內者腎肝氣已絕於內也而医反補其心肺五藏已絕於外者其心肺脉已絕於外也而醫反補其腎肝陽絕補陰陰絕補陽是謂實實虛虛損不足益有餘如此死者医殺之耳

灵樞九鍼十二原并小針解篇錯綜而言之耳本義曰此灵樞以脉口內外言陰陽也越人以心肺腎肝內外別陰陽其理亦由是也馬氏十二原篇曰此相違

乃越人之臆說而非小鍼解之本意也不及其滑伯仁幾千萬里乎

馮氏（玠）謂此篇合入用鍼補瀉之類當在六十難之後以例相從也

十三難曰經言（邪氣藏府病形篇）見其色而不得其脉及得相勝之脉者即死得相生之脉者即自已色之與脉當參相應爲之柰何（自字本文無之今越人加之加之有味也本義云已愈也參合也）

宜互見于本昏與丹溪能合色脉可以萬全篇也

然五藏有五色皆見於面亦當與寸口

尺内相應假令色青其脉當弦而急色赤其脉浮大而散色黄其脉中緩而大色白其脉浮濇而短色黒其脉沉濡而滑此所謂五色之與脉當參相應也

五色有善惡面亦有部位此只舉其槩故曰假令其詳在心法能合色脉可以萬全

脉数尺之皮膚亦数脉急尺之皮膚亦急脉緩尺之皮膚亦緩脉濇尺之皮膚亦濇脉滑尺之皮膚亦滑

此亦同篇文也　又附録八段錦第一

引此難有詳註之畧又曰古人言不尽意舉此五者言之大意可見或者不用三指尺以一指自上至下遂部按之未嘗不可然不可以得尺之皮膚不足法也尺之皮膚或男或女只看一手便見私曰一手者盖病人隻手也医者指法既在上文也五藏各有聲色臭味見于三十四難當與寸口尺內相應其不應者病也假令色青其脉浮濇而短若本義曰若之爲言或也舉色青爲例以明相勝相生也下同

大而緩爲相勝浮大而散者小而滑爲相生也

脉語曰色脉相尅者凶色脉相生者吉愚猶有訣焉色尅脉者其死速脉尅色者其死遲色生脉者其愈速脉生色者其愈遲能合色脉可以萬全矣

經言知一爲下工知二爲中工知三爲上工本義曰三謂色脉皮膚三者也云云上工者十全九中工者十全八經作七下

工者十全六此之謂也末四字越人之詞也矣

評林曰噫昔之所謂下工者今亦鮮矣則必不能使十之生六也況望其能全八與九哉是可深惜也已

十四難曰脉有損至何謂也評林曰損者脉數減少之謂也至者脉數頻多之謂也

然至之脉一呼再至曰平

評林曰按內經並無所謂損者其至字則有之要知越人之意以不及為損脉太過為至脉耳然以下文及內

經覌之則至字即動字凡太過不及之脉皆可以言至也

三至曰離經四至曰奪精五至曰死六至曰命絶此至之脉（此至及脉之至字應問之詞所謂損至之至皆謂太過之脉也其餘所謂至之字上下來去至止之至字也）

何謂損一呼一至曰離經再呼一至曰奪命三呼一至曰死四呼一至曰命絶此損之脉也至脉從下上損脉從上下也損脉之爲病柰何然一損損於皮毛皮聚而毛落二損損於血脉血脉虚少

不能榮於五藏六府三損損於肌肉肌肉消瘦飲食不能為肌膚四損損於筋筋緩不能自收持五損損於骨骨痿不能起於床反此者至於收病也本義云於收二字誤當作脉之從上下者骨痿不能起床者死從下上者皮聚而毛落者死

曹氏曰損病不過三飲食不為肌膚者死至病不過三飲食不為肌膚者亦死見歌括虛損門私曰言於治療之法不可致油斷

治損之法柰何然損其肺者益其氣損其心者調榮衛當作損其心肺者益其衛氣調其榮血○此即弁正之意也損其脾者調其飲食適其寒溫損其肝者緩其中損其腎者益其精此治損之法也或問右治法無所隱也但其內適其寒溫與緩其中之二法柰何予曰適其寒溫者雖有其通屬而先素問所謂外降浮沉順之寒熱溫涼逆之者是也緩其中者湯液本草芍藥條云問有緩中一句何謂緩中東垣云損其肝者緩其中又問當用何茱以治之東垣云當用四物湯以其內有芍茱故也大抵酸渋者為上為收斂停濕之劑又曰難經云損其肝者緩

其中即調血也○評林曰此言治損之法而治至之法可推也

脉有一呼再至一吸再至前小言吸故今再稱而言吸耳有一呼三至一吸三至有一呼四至一呼四至有一呼五至一吸五至有一呼六至一吸六至有一呼一至一吸一至有再呼一至再吸一至有呼吸再至脉來如此何以别知其病也

評林曰此一言重問損至之脉可以别其病所以起下文也但内有呼吸再至五字則重出即上文一呼一至

一吸一至二句耳又曰按滑伯仁云前之損至以五藏自病得之于内者而言此則以經絡血氣爲邪所中之微甚自外得之者而言也是滑氏之意蓋即下文病與上下之病有不同者見之

然脉來一呼再至一吸再至不大不小曰平

此言一息四至脉也不大不小者寸関尺各得其宜至数調匀也藏府平

和故脉平無太過不及之謂也素問岐伯曰人一呼脉再動一吸脉亦再動呼吸定息脉五動閏以大息命曰平人

一呼三至一吸三至爲適得病也適者初也初得病初染病也滑氏謂與未甚義同

前大後小即頭痛目眩前小後大即胷滿短氣

本義曰前大後小前小後大者言病能也素問鈔有病能篇註曰病久形能也王註作病形也

前後非言寸尺猶十五難前曲後居之前後以始未言也評林曰張世賢分前後為尺寸大小為寒熱者非當知六至之脉有熱而無寒也云云一呼四至一吸四至病欲甚洪大者苦煩滿沉細者腹中痛滑者傷熱濇者中霧露評林曰按素問平人氣象論曰人一呼脉四動以上曰死夫素問以為死而越人止言病欲甚者盖素問曰以上則不止四動而已如下文二節所言

是也
一呼五至一吸五至其人當困沉細夜加浮大晝加不大不小雖困可治其有小大者為難治

評林曰夫一息十至即歸墓脈也十至之脈其人當困若十至中見沉細是陰之極主夜必加病若十至中見浮大是陽之極主晝必加病但沉細浮大之中而不作大作小者雖危亦有有可治蓋以胃氣尚存故脈猶平和

耳其沉細浮六之内各有乍大乍小
者則胃氣已泯然矣不亦為難治耶
滑伯仁以沉細為小浮大為大者亦
通

一呼六至一吸六至爲死脉也沉細夜
死浮大晝死

一息十二至命絶之脉也

一呼一至一吸一至名曰損人雖能行
猶當著床所以然者血氣皆不足故也

評林有細註

再呼一至再吸一至呼吸再至本義云此四字即前衍文名曰無魂無魂者當死也人雖能行名曰行尸

圖註曰此乃一息一至之脉也魂屬陽魄屬陰一息一至陽已敗絕陽敗絕則魂去魄存故曰無魂當死也人雖能行但遊氣未散尸魄動而已矣所以謂之行尸

上部有脉下部無脉其人當吐不吐者死

紀氏曰上部有脉下部無脉是邪實并於上即當吐也若無吐證爲上無邪而下氣竭故云當死（病人自吐也其人當吐之点也）○内外傷辯下巻吐法宜用辯曰上部有脉下部無脉其人當吐不吐者死何謂也下部無脉此所謂木鬱也飲食過飽填塞胷中胷中者太陰之分野經云氣口反大於人迎三倍食傷太陰故曰木鬱則達之吐者是也（其人當吐之点也）○私曰右二説内宜從

李之義也或問言其理予曰其理即
內外傷辯甚詳也汝考之矣
上部無脈下部有脈雖困無能為害所
以然者譬如（本義曰譬如二字當在人之有尺下）人之有
尺樹之有根枝葉雖枯槁根本將自生
脈有根本人有元氣故知不死
欲學醫之人必當廣讀丹溪脈訣吾
嘗觀洛書圖與少陰太陰心肺二經
傷爍熱脈圖其間見也
十五難曰經言春脈弦夏脈鉤秋脈毛

冬脉石平人氣象論玉机真藏論錯綜其文而成一篇者也是王脉耶將病脉也弁正云也令作耶然弦鉤毛石者四時之脉也春脉弦者肝東方木也萬物始生未有枝葉故其脉之來濡弱而長故曰弦夏脉鉤者心南方火也萬物之所茂垂枝布葉皆下曲如鉤故其脉來疾去遲故曰鉤後人以洪代鉤者蓋以來疾去遲比洪水而用之者乎

秋脉毛者肺西方金也萬物之所終草木華葉皆秋而落其枝獨在若毫毛也

故其脉之來輕虛以浮故曰毛素問於浮字下有柔急去散四字由是續素問鈔云滑註柔急去散四字不知何謂將解浮字義耶云○本義曰此篇與內經中互有異同馮氏曰越人欲使脉之易曉重立其義爾○評林越人雖言失此四字以汪机爲得其理者也夫冬脉石者腎北方水也萬物之所藏也盛冬之時水凝如石故其脉之來沉濡而滑故曰石此四時之脉也

如有變柰何脉逆四時之謂變

然春脉弦反者爲病○何謂反

然其氣來實強是爲太過病在外氣來

虛微是謂不及病在内於变脉言氣者脉不自動氣使之然且主胃氣而言也此滑伯仁之言也

氣來厭厭聶聶如循榆葉曰平詩經厭厭夜飲不醉無歸素註厭厭聶聶恬靜之意○其詳曰於蓋切益涉切由難經讀難經之法則宜用益涉切也素問以此句爲肺平脉

評林曰厭厭聶聶如循榆葉者恬靜而似春風吹榆葉濡弱而調也

益實而滑如循長竿曰病肝平謂末梢病只謂長竿

急而勁益強如新張弓弦曰死新張字可見

春脉微弦曰平，弦多胃氣少曰病，但弦無胃氣曰死，春以胃氣為本（四時皆以微為胃氣）

夏脉鉤，反者為病。○何謂反？○然：其氣來實強，是謂太過，病在外；氣來虛微，是謂不及，病在内。其脉來累累如環，如循琅玕曰平（評林云：蓋琅玕石似珠玉，循久漫散無拘，即浮大而散）。來而益数，如雞舉足者曰病（素問為脾病脉）。

注机素問鈔曰：雞之踐地與舉足不同。踐地是雞不驚而徐行也（故用脾平脉也）；舉足是被驚時疾行也（故用脾病脉也云云。或問素

問以此爲脾病既得聞命也今難經用心病脉此何意耶予曰宜見次句

前曲後居如操帶鉤曰死

本義十四難云前後非言寸尺猶十五難前曲後居之前後以始末言也

又當難註云如雞舉足鉤多而有力也

夏脉微鉤曰平鉤多胃氣少曰病但鉤無胃氣曰死夏以胃氣爲本

秋脉毛多者爲病何謂反然其氣來實弦是謂太過病在外氣來虛微是爲不

及病在內其脉來藹藹如車蓋按之益大曰平

傷寒弁條曰藹藹如車蓋言浮旋於上也下學集曰車字縁大小音累也見論語爲政也所謂大車無輗小車無軏云云評林云勿聽子謂小車之蓋輕浮藹藹按之益大上歷浮而下益大乃爲微毛

不上不下如循雞羽曰病

注机云不上不下恐是上竟上按之不可得下竟下按之不可得詳細消息則如循雞羽中央堅而兩旁虛也

按之蕭索如風吹毛曰死
評林曰勿聽子謂按之蕭索如風吹
毛曰紛紛然飄騰無歸是也
秋脉微毛曰平毛多胃氣少曰病但毛
無胃氣曰死秋以胃氣爲本
冬脉石反者爲病何謂反然其氣來實
強是謂太過病在外氣來虛微是謂不
及病在內脉來上大下兌濡滑如雀之
啄曰平啄啄連屬○其中微曲曰病俗解謦句讀也故吟段之如斯

本義曰冬脉上大下兌大小適均石而和也上下與來去同義見前篇又圖註曰上大下兌濡滑如雀之啄者乃按之濡舉指來疾也又俗解曰上大者足太陽應手而六也下銳者足少陰診之去而小也

啄啄連屬者張世賢不如雀啄也其中微曲者勿聽子謂其中緩而微曲者脾脉尅腎而多胃氣少也

來如解索去如彈石曰死

刋誤附録曰石者辟𨐨急也解索者
動数而随散乱無復次序也當以譜
腎絶盖石乃腎之本脉合沉濡而滑
今真藏脉見如彈石劈劈然湊指殊
無息数死無疑矣一説脉來指下如
堅硬之物擊于石貌劈劈然無息数
又解索注曰解索見前彈石下呉仲
廣云解索脉者其形見于両尺脉來
指下散而不聚若分于兩畔更無息
数是精髓已耗將死之候○機按脉

經云來如彈石去如解索似通指一脉來去而言也今此分爲二脉則與脉經相反矣宜考之

冬脉微石曰平石多胃氣少曰病但石無胃氣曰死冬以胃氣爲本

本義曰此篇與內經中互有異同馮氏曰越人欲使脉之易曉重立其義尔

按內經第二卷平人氣象論篇云平肝脉來軟弱招招如揭長竿末梢平肺脉來厭厭聶聶如落榆莢平腎脉

來喘喘累累如鉤按之而堅病腎脉來如引葛按之益堅死腎脉發如奪索辟辟如彈石此爲異也

胃者水穀之海主稟四時皆以胃氣爲本是謂四時之變病死生之要會也

評林曰 此明四時皆以胃氣爲本而言胃氣在人爲甚重也承上而言春夏秋冬皆以胃氣爲本者何也蓋水穀者人之所賴以有生也胃主納受誠爲水穀之海稟受四時之四藏而四

藏皆以胃氣為本也是以四時胃氣多則平胃氣少則病有胃氣則生無胃氣則死其變病死生之際無不以此為要會也

脾者中州也其平和不可得見如字衰乃見音印耳來如雀之啄似水之下漏是脾之衰見也

玉机真藏論帝曰脾脉獨何主岐伯曰脾脉者土也孤藏以灌四傍者也帝曰然則脾善惡可得見之乎岐伯曰

善者不可得見惡者可見帝曰惡者如何可見岐伯曰其來如水之流者此謂太過病在外如鳥之喙者此謂不及病在內（新校正云喙作啄）講義曰其平和不可得見者帝堯本紀云有老人含哺鼓腹擊壤而歌曰日出而作日入而息鑿井而飲耕田而食帝力何有於我哉（評林載此故宴也）

○來如雀之啄者附錄曰診脉要訣云主脾無谷氣已絕胃氣無所榮養

其脉來指下連連湊指数急殊無息数但有進而無退頻絕自去良久准前又來宛如鷄践食之貌但数日之壽也王叔和云雀啄頻木而又住○據此云脾絕之脉吳仲廣謂之木脉蓋因頻木之說也其說尤遠當以脾絕爲是○屋漏半日一點落註曰脉經曰屋漏者其來既絕而止時時復起而不相連屬也吳仲廣云脉來指下按之極慢一息之間或來一至若屋

漏之水滴于地上而四畔濺散之貌
主胃經已絕谷氣空虛立死之候○
然則二个怪脉
係胃與脾耳
十六難曰脉有三部九候有陰陽有輕
重有六十首一脉变為四時
三部九候詳見十八難陰陽詳見四
難輕重詳見五難六十首一脉变為
四時詳見七難以其六甲子謂六十
首其六甲子各六十日則六六三百
六十日而三陽三陰之時節并其脉

終而四時成也尚他註雖多其說畏多岐亡羊畧之

離聖久遠各自是其法何以別之

圖註曰越人自謂其時離上古軒岐之聖蓋有年矣其後歷代名医輩出各執己見立爲成法雖聖愈久而愈失其真果何以別其孰是而孰非乎○愚竊考評林曰扁鵲者軒轅時扁鵲也隱居岩壑不登於七人之列而自作八十一難經以後秦越人註之今皆称扁鵲秦越人云扁鵲若爲軒轅時之人則豈可言離聖久遠耶夬而評林之此說爲誤也明矣不可取之

然是其病有内外證

其問舉数品而以此一言若于若于閅豈可不言奇文耶

其病爲之柰何

此亦奇文也圖註曰承上文內外証以起下文也以文字蔽其內外證而言者也奇奇妙妙○

肰假令得肝脉其外證善潔面青善怒今言情志者合肝與膽而言也其膽肝者清淨之府將軍之官故好潔怒也○又以情志爲外證者蓋思在於內色顯於外之理歟但有通屈記鰲頭也素問鈔云氣餘則病形于外氣少則病在于內

其內證臍左有動氣按之牢若痛

若當訓而弁正曰若之一字殊使人大疑既曰按之牢牢者堅硬不移則邪實於裏其比類猶五積之形其病難於理療前以牢言後云若痛其理不倫竊料必若是其痛○本義俗解等註于或字也俱未中乎旨叅也古人若與而通用不可勝記矣

其病四肢滿閉淋溲便難轉筋於此處註家句讀不一今姑隨一家如斯淋溲與便難如為對之謂之倒句也或楚辭言吉日辰良或莊子言不爪剪不穿耳之類是也

有是者肝也無是者非也無是非之非猶言不同

假令得心脉其外証面赤口乾喜笑

圖註曰喜字當作善字因喜亦屬心經故從而解之張氏以他例言之而已

其內證臍上有動氣按之牢若痛其病煩心心痛掌中熱而啘集註云之月切

本義曰掌中手心主所過之處盖真心不受邪受邪者手心主亦啘乾嘔也

有是者心也無是者非也假令得肺脉

其外證面黃善噫善思善味

噫乙界切飽食息也於其切欬聲也善思何以為外證耶其不

(審既解于前也 汝勿穿鑿矣)善味者所以惡食也其內證當臍有動氣按之牢若痛其病腹脹滿食不消體重節痛怠墮嗜臥四支不收有是者脾也無是者非也

假令得肺脉其外證面白善嚏悲愁不樂(俗解云 音洛)欲哭其內證臍右有動氣按之牢若痛其病喘欬洒淅寒熱有是者肺也無是者非也

素問音釋曰洒淅(上所下反 下音昔)洒洒(蘇盌切)也五十六難俗解曰森然而寒貪然

而熱謂之洒淅寒熱非大寒熱也
假令得腎脉其外證面黑善恐欠此二證也
本義日腎氣不足則爲恐陰陽相引則
爲欠○欠有二義口問篇寢寐之義
也又礼記曲礼註跣氣乏則欠體疲
則伸阿欠尾○又灵樞本輸篇註云呿大張口貟欠撮口出氣也
其內證臍下有動氣按之牢若痛其病
逆氣小腹急痛泄如下重足脛寒而逆
本義日泄而下重少陰泄也如讀爲而
下重者下利頻数而重也見方考傷寒門也○脉以下者脛也當脛以下

者足也見灵枢五色篇也○丁氏曰外証與内証此經所說交互不明未敢尽註其說俟後賢

有是者腎也無是者非也

十七難曰經言病或有死或有不治自愈或連年月不已其生死存亡可切脉而知之耶

死者不可治也不治自愈不待砭焫医薬而病自愈也連年月不已久病也人之受病有是三者如此其死而亡也生而存也果可診脉而知之耶

又一通有不可只以診脉知之之意也答意不然以切脉决定可知之也

然可尽知也

然脉者氣血之先也症候病體係於此經其脉有相生而生者有相勝而死者有陰病宜見陰脉反得陽脉而死者有陽病宜得陽脉反得陰脉而死者其病体不同皆可以切脉而知其生死存亡之候係也本義云十七難所問者三所答者一箇也蓋有缺漏歟

診病若閉目不欲見人者脉當得肝脉

弦急而長而反得肺脉浮短而濇者死也

圖註曰素問曰目乃肝之竅又曰目受血而能視開目不欲見人肝臟病矣弦急而長肝之病脉也脉病欲相懸故曰當得肝之病而反得肺之脉是知肝屬木而肺屬金金勝木其病死也若弦急而長更帶子助病不治自愈若帶母抑故連年月不已餘倣此

病若開目而渴心下牢者脉當得緊實

而数反得沉濡而微者死也
經曰陽病見陰脉者死
病若吐血復衄血者脉當沉細而反
浮大而牢者死也句解云吐血自口出鼽自鼻出衂自鼻出清涕也泰定養生曰於失血下利暴泄
證內脉細則生脉大則死蓋細爲陰
脉而生衰弱病勢既衰故曰生也經
無明文學者不可不知
病若譫言妄語身當有熱脉當洪大而
反手足厥逆脉沉細而微者死也

此陽病見陰脉者死也病若大腹而洩與泄同者脉當微細而濇反緊大而滑者死也大腹者腹脹也○脉不應病所以死也

十八難曰脉有三部部有四經手有太陰陽明足有太陽少陰爲上下部何謂也

三部者合兩手寸關尺而言也每部之中俱有四經且如寸部左則心與小腸右則肺與大腸三部共十二經也上寸部也下尺部也見圖註

然手太陰陽明金也足少陰太陽水也金生水水流下行而不能上故在下部也足厥陰少陽木也生手太陽少陰火火炎上行而不能下故爲上部手心主少陽火生足太陰陽明土土主中宮故在中部也

或問脾胃土雖主中宮其經在足者又何耶然謂天人地三才人雖主中而天遠地近矣人似天地皆自然之理此皆五行子母更相生養者也

非獨母子相生之道君臣夫婦之理亦在左右六部也彭用光論之至詳也評林載之矣

脉有三部九候各何主之(又合兩手寸關尺而言也)

然三部者寸關天也九候者浮中沉也素問所謂三部以人身上中下分三停也九候者分九處以候九藏也(當昏詳也)扁鵲三部之祖也總括九候於兩手寸關尺而每部以浮中沉三候而成九候也彼與此雖似異其知病則

一也脉語曰有諸經之部位素問有寸口之部位難經取諸經之部位即儒者求道於散殊寸口之部位即儒者本之于一貫也

上部法天主胸以上至頭之有疾也中部法人主膈以下至臍之有疾也下部法地主臍以下至足之有疾也審而刺之者也

刺字諸家之義不一紀氏熊氏訓中也向解與并正訓次第之次也丁氏亦同

陳萬年傳云咸善雲雲從刺佊教令
上昏自訟註雲從咸刺探伺佊亥之
輕重咸曰教令上昏本義評之曰紀氏訓中與陳萬
年傳曰刺佊其義同云云圖註曰絜古云隨其上
下審其部分而刺之手之經瀉陽補
陰足之經瀉陰補陽中部法人調陰
陽臨時致宜紀氏曰審而刺者此篇
上下不說用針刀識楊玄操高秉德
以刺解針且素問本意轉說用針以
刺解針猶爲得理大抵針莱一理雖

云用針医莱亦同以圖註宜講刺字

人病有沉滯久積聚可切脉而知之耶

本義曰此下問荅亦未詳所屬或曰當是十七難中或連年月不已荅辞

然診病在右脇有積氣得肺脉結脉結甚則積甚結微則氣微診不得肺脉而右脇有積氣者何也

然肺脉雖不見結脉右手脉當沉伏

本義曰肺脉雖不見結右手脉當見沉伏沉伏亦積聚脉右手所以候裏也

其外痼疾同法耶將異也（舟正云援前也字作耶）

（本義）此兼上文復問外之痼疾與內之積聚法將同異

然結者脉來去時一止無常数名曰結也（常遲而常数而）止名曰（結促）伏者脉行筋下也浮者脉在肉上行也左右表裏法皆如此

前舉右脇為例故曰左右同法

假令脉結伏者內無積聚脉浮結者外無痼疾有積聚脉不結伏有痼疾脉不

浮結爲脉不應病病不應脉是爲死病也

評林　夫有脉以應病則病雖有積聚痼疾無害也今有病而無脉則氣血衰少而脉不能應矣況已病而爲必死乎吾故曰爲脉不應病病不應脉是爲死病也

十九難曰經言脉有逆順男女有恒句而反者何謂也

然男子生於寅寅爲木陽也女子生於

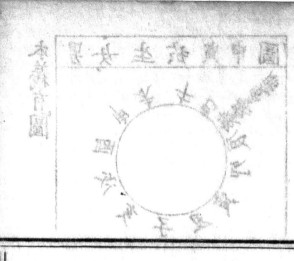

申申為金陰也

集註曰　楊曰元氣起於子人之所生也男從子左行三十而至於巳女從子右行二十而至於巳為夫婦懷妊也古者男子三十女年二十然後行嫁娶法於此也十月而生男從巳至寅左行為十月故男行年起於丙寅女從巳右行至申為十月故女行年起於壬申所以男子生於寅女子生於申

○虞曰經言男子生於寅女子生於

本義有圖

男女生於寅申圖

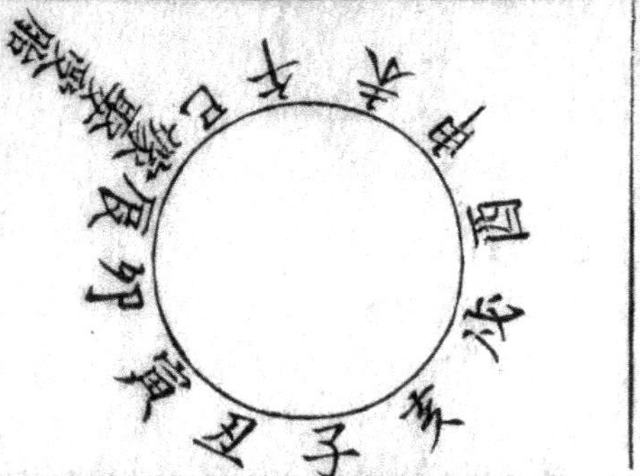

申謂其父母之年會合於巳上男左行十月至寅而生女右行十月至申而生也故推命家言男一歲起丙寅女一歲起壬申難經不言起而言生謂生下巳為一歲矣壬丙二干水火也水火為萬物之父母寅申二支金木也為生物成實之終始木胞在申金胞在寅二氣自胞相配故用寅申也金生於巳巳與申合故女子取申木生於亥亥與寅合故男子取寅所以

男年十歲順行在亥女年七歲逆行亥男子十六天癸至左行至巳巳者申之生氣女年十四天癸至右行亦在巳與男年同在本宫生氣之位陰陽相配丙在集註成夫婦之道故有男女也上古天真論曰男子二八而天癸至精氣溢瀉陰陽和故有子女子二七天癸至任脉通太衝脉盛故能有子此之謂也

評曰 楊氏言男三十行年在巳方娶於

此非也女二七天癸至任脉通衝脉盛月事以時下故能有子楊氏言女二十右行之已方嫁於此義非也楊氏之言但合古禮行夫婦嫁娶之法又與本經天癸之數相違也況聖人於此十九難中論男女配合之道陰陽交會之所言天癸之至數知脉盛於上下推之強弱於其有餘不及若止言三十而嫁於本經診治之道憑何依據

故男脉在関上非高骨之上指寸口而言女脉在関下是以男子尺脉恒弱女子尺脉恒盛是其常也

本義曰愚謂陽之體輕淸而外天道也故男脉在関上陰之體重濁而降地道也故女脉在関下此男女之常也由謹案本草綱目論脉訣攷證其男女脉位章有數義其内丹溪朱氏推本律法而立言之法盖滑君所據歟就其丹溪脉訣有男女手脉之圖

珍[illegible]也雖未知其可否而其理當者
歟非言南北政也故理在其中
反者男得女脉女得男脉非常謂之反也
其爲病何如然男得女脉爲不足病在
内左得之病在左右得之病在右隨脉
言之也女得男脉爲太過病在四肢左
得之病在左右得之病在右隨脉言之
此之謂也

二十難曰經言脉有伏匿伏匿於何藏而
言伏匿耶然謂陰陽更相乘更相伏也

脉居陰部而反陽脉見者爲陽乘陰也脉雖時沉濇而短此謂陽中伏陰也脉居陽部而反陰脉見者爲陰乘陽也脉雖時浮滑而長此謂陰中伏陽也

本義曰居猶在也當也陰部尺陽部寸也乘猶乘車之乘出於其上也伏猶伏兵之伏隱於其中也匿藏也丁氏曰此非特言寸爲陽尺爲陰以上下言則肌肉之上爲陽部肌肉之下爲陰部亦通

重陽者狂重陰者癲脱陽者見鬼脱陰者目盲

此五十九難之文錯簡在此當家之義也

二十一難曰經言人形病脉不病曰生脉病形不病曰死何謂也

傷寒論曰師曰脉病人不病名曰行尸以無王氣卒眩仆不識人者短命則死人病脉病名曰內虛以無穀神雖困無苦註云脉者人之根本也脉病人不病爲根本內絶形雖且強卒然氣脫則眩運僵仆而死不曰行尸而何人病脉不病則根本內固形雖且羸止內虛尓穀神者穀氣也穀氣既足自然安矣內經曰形氣有餘脉氣不足死脉氣有餘形氣不足生

然人形病脉不病非有不病者也謂息

数不應脉数也此大法

評林曰按此張世賢以息数爲病人息数又爲医人息数殊鶻突不明熊宗立謂病人息数不能合其脉数頗近之又謂此難沓文當有鈌誤斯言與謝氏同良有見也謝氏語在本義也

二十二難曰經言脉有是動有所生病一脉輙変為二病者何也継天曰是動宜讀平音也

經者灵樞經脉篇也此脉字非尺寸之脉乃十二經脉之脉也二病見于

答辭也

然經言是動者氣也所生病者血也私曰若不用此点則恐經言二字當成冷語歟否

邪在氣為是動在血為所生病氣主呴之血主濡之氣留而不行者為氣先病也血壅而不濡者為血後病也故先為是動後所生也

刊誤伏脉條引難經此文其次曰以此論之當先調氣而血自順亦有血先病而氣後病者隨病施治可也難

乎孰一云本義亦言不可以先後拘
也由謹案扁鵲只舉一隅而示之反
三隅在學者活法耳此叓難知未識
有活法而舉素問難經銅人必然欲
爲先是動後所生落入聖人於死法
悲哉

二十三難曰手足三陰三陽脉之度數
可曉以不然手三陽之脉從手至頭長
五尺六寸合三丈手三陰之脉從手至
胷中長三尺五寸三六一丈八尺五六

三尺合二丈一尺足三陽之脉從足至
頭長八尺六八四丈八尺也足三陰之
脉從足至胷長六尺五寸六六三丈六
尺五六三尺合三丈九尺人兩足蹻脉
從足至目長七尺五寸二七一丈四尺
二五一尺合一丈五尺督脉任脉各長
四尺五寸二四八尺二五一尺合九尺
凡脉長一十六丈二尺此所謂經脉長
短之數也

右灵枢脉度篇文也三陰三陽灵枢

皆作六陰六陽義尤明白尚馬氏註言之詳也

圖註曰三陰三陽經脉足長于手而陰蹻于陽并蹻與任督積而數之共得一十六丈二尺兩足蹻脉男數其陽而女數其陰也

經脉十二絡脉十五何始何窮也然經脉者行血氣猶言榮氣也氣字非衛氣通陰陽以榮於身者也其始從中焦注手太陰陽明陽明注足陽明太陰太陰注手少陰太陽太陽注足太陽少陰少陰注手心主

少陽少陽注足少陽厥陰厥陰復還注
手太陰別絡十五皆因其原如環無端
轉相灌溉朝於寸口人迎以處百病而
決死生也
王文潔曰按人迎胃經穴俠喉兩傍
動脉拠内經以人迎脉見左寸者何
愚意皆爲六府之本屬陽故人迎脉
見於左寸以探六陽之脉右寸係太
陰穴脉之所會屬陰故用此以探六
陰之脉滑氏謂此法始於王叔和者

蓋不考經義故耳私曰越人三部之祖也察得素問之意而分明載此難然則豈崇於王叔和耶諾諾

經云明知終始陰陽定矣何謂也

然終始者有經字脉之紀也寸口人迎陰陽之氣通於朝使如環無端故曰始也終者三陰三陽之脉絶絶則死死各有形故曰終也

本義此一節因上文寸口人迎處百病決死生而推言之謂欲曉知終始於陰陽為能定之蓋以陽經取決於

人迎陰經取決於氣口也朝使者朝謂氣血如水潮應時而灌溉使謂陰陽相為用也云云圖註云陰者臟也陽者腑也三陰三陽者即十二經也十二經脉變見於寸口人迎周流不息而謂之始絕塞不通各隨其經死各有形而謂之終有形註見二十四難〇本義始終如生物之始窮

二十四難曰手足三陰三陽氣既絕何以為候可知其吉凶不兼前篇死各有形而其形也

然足少陰氣絶即骨枯少陰者冬脉也伏行而溫於骨髓故骨髓不溫即肉不着骨骨肉不相親即肉濡而却肉濡而却故齒長而枯髪無潤澤無潤澤者骨先死戊日篤己日死

此下六節出于灵樞經脉篇彼與此雖有大同小異未遑記其異學者其考焉

足太陰氣絶則脉不榮其口唇口唇者肌肉之本也脉不榮則肌肉不滑澤則

肉滿肉滿則脣反脣反則肉先死甲日篤乙日死

足厥陰氣絶即筋縮引卵與舌卷厥陰者肝脉也肝者筋之合也筋者聚於陰器而絡於舌本故脉不榮則筋縮急筋縮急即引卵與舌故舌卷卵縮此筋先死庚日篤辛日死

手太陰氣絶即皮毛焦太陰者肺也行氣温於皮毛者也氣弗榮則皮毛焦皮毛焦則津液（俗解云音精亦）去津液去即皮節

傷皮節傷則皮枯毛折毛折者則毛先死丙日篤丁日死

手少陰氣絕則脉不通脉不通則血不流血不流則色澤去故面色黑如黧此血先死壬日篤癸日死

黧字集註作梨丁曰黎字當依此黧字○楊曰經云手三陰今此惟釋太陰少陰而心主一經不言之何也然心主者心包絡之脉也少陰者心脉也二經同脉於心故言少陰絕則心主亦絕其診既同故不别解也本經云面黑如漆柴此云如梨漆柴者恒山苗也其草色黄黑無潤澤故以爲喩梨者即人之所食之果也亦取其黄黑焉言人即無血則黄黑似此二

二物無先華也〇評林云按上五節
足言三陰而半止言二陰者蓋未死
之先代君火以行變者心包絡也臨
死之際則手少陰氣絶而厥陰心包
絡在其中矣況言心肝脾肺腎而五
臓已人又何必言手厥陰哉
〇或問十干之死只在四時與土用
歟又在一日之内歟又只陽十干而
十二支無之耶然十干四時之死既
在本經故不言之識者一日之死以
示之汝矣丹溪脉訣曰凡一日之中
又分五時以別死時之早晏且脾病
甲日病篤乙日死則死於寅卯時以
脾屬土日時俱屬木重木尅土故死
於此時此内傷藏病之傳次也然暴
病卒発者不必泥於傳次也或傳化
不以次入者乃憂恐悲怒喜思驚七
情并傷於令不得以其次傳所以令
人大病此五臓傳変之指要學者不
可不知也故圖于左

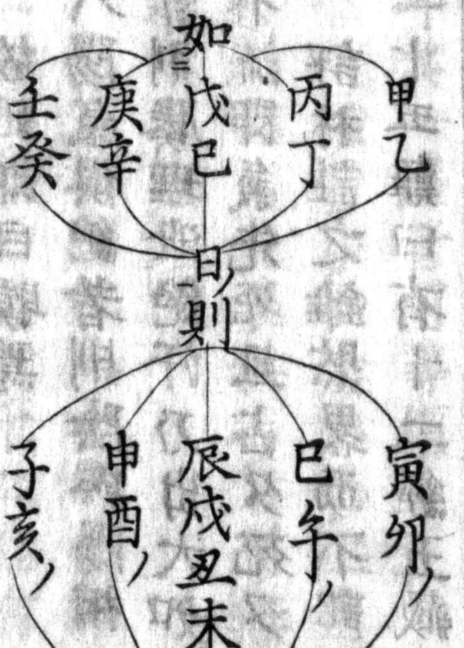

二陰氣俱絶則目眩轉目瞑目瞑者為失志失志者志先死死即目瞑也

本義曰三陰通手足經而言也灵枢經脉篇作五陰氣俱絶則以手厥陰

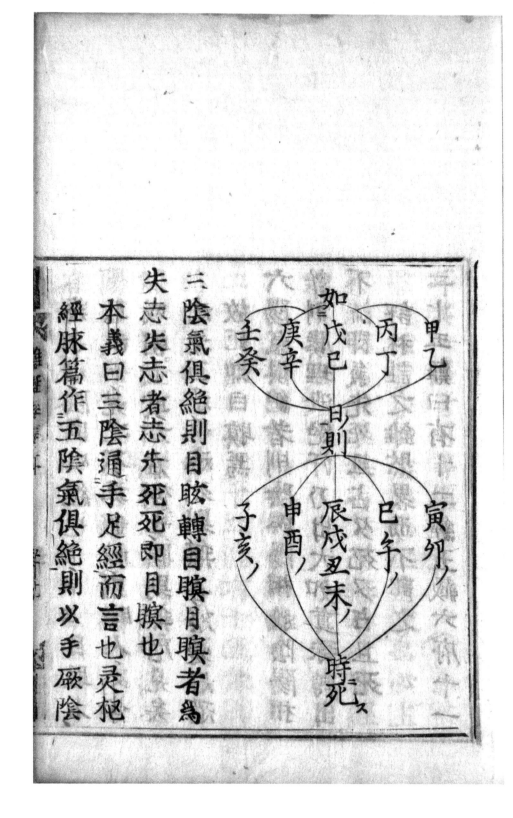

與手少陰同心經也圖註云目眩者眩乱而見之不真也轉則瞳人又背或朝上或左右側也瞑則無所見矣志者五志也志死則無喜怒憂思恐故死即目瞑焉

六陽氣俱絶者則陰與陽相離陰陽相離則腠理泄絶汗乃出大如貫珠轉出不流即氣先死旦占夕死夕占旦死

評林註之雖然畧而不説之

二十五難曰有十二經五藏六府十一

耳其一經者何等經也
然一經者手少陰與心主別脉也心主
與三焦為表裏俱有名而無形故言經
有十二也
此篇詳觧記三十六難也
二十六難曰經有十二絡有十五餘三
絡者是何等絡也
然有陽絡有陰絡有脾之大絡陽絡者
陽蹻之絡也陰絡者陰蹻之絡也故絡
有十五焉

直行者謂之經傍支者謂之絡陽蹻過五腑主持諸表陰蹻通貫五臟主持諸裏脾絡則臟腑陰陽表裏上下諸經通貫故曰大絡也一經一絡十二經已得十二絡矣兼此三絡共十五絡焉○或問馬玄臺王文潔俱曰按經脈篇曰任脉之別名曰尾翳督脉之別名曰長強脾之大絡名曰大包共十五絡何難經曰陽絡者陽蹻之絡陰絡者陰蹻之絡則與灵枢之以督任

爲二絡者不合矣今當以灵枢爲是
蓋督脉爲陽脉之海任脉爲陰脉之
海故能與於十五絡之中雖爲奇經
八脉之二而其實與别奇經不同也
越人之言無乃訛臆内經之辞而失
其真與云云然則决而越人之誤歟
答曰愚豈識于二經之可否耶常語
門人内經之説如彼難經之説如此
此外更無他可示也

二十七難曰脉有奇經八脉者不拘於

十二經何也然有陽維有陰維有陽蹻
有陰蹻有衝有督有任有帶之脉凡此
八脉者皆不拘於經故曰奇經八脉也
素問鈔曰愚按蹻督任三脉内經謂
在十二經榮氣周流度數一十六丈
二尺之内扁鵲謂奇經八脉不拘于
十二經兩説矛盾以待賢者骨空之論
医學綱目亦其言同矣謹案内經謂
維脉丈尺難經謂經脉奇正然則維
似矛盾其實非矛盾者歟

經有十二絡有十五凡二十七氣相隨上下何獨（指奇經）不拘制於經也

然聖人圖設溝渠通利（水道）以備不然（脉經作虞）天雨降下溝渠溢滿當此之時雱霈妄作（脉經於此處有當此之時四字）聖人不能復圖也

八脉攷曰九八脉不拘制於十二正經無表裏配合故謂之奇蓋正經猶夫溝渠奇經猶夫湖澤正經之脉隆盛則溢於奇經故秦越人比之天雨降下溝渠溢滿雱霈妄行流於湖澤

此發灵素未發之秘者也

此絡脉滿溢諸經不能復拘也

此絡脉三字滑云或曰正指正經八脉而言也

張世賢亦指八脉而言也其旨見次難也好

二十八難曰其奇經八脉者既不拘於十二經皆何起何繼也

然督脉起於下極之俞並於脊裏上至風府入屬於腦下極長強穴也在脊骶風府穴在腦後髮上三寸蓋督脉能統行諸脉復能收拾諸脉而爲陽脉之都綱也○故督都也

任脉者起於中極之下以上至毛際循

腹裏上關元至咽喉上頤循面入目絡舌未句八字另本無之圖註有之也○臍下三寸曰關元四寸曰中極毛際陰毛之際也任妊也爲生養之本又主內心痛

衝脉者起於氣衝並足陽明之經俠臍上行至胸中而散以上三脉皆始于氣衝一原而分三岐督脉則行于背而應乎陽任脉則行于腹而應乎陰衝脉則直衝于上爲陰脉之海總領諸經者也並足陽明者此難經之說也素問作並足少陰之經八脉攷曰足陽明去腹中行二寸少陰去腹中行五分衝脉行於二經之間也

帶脉者起於季脇迴身一周

季脇章門穴在是也是帶脉之所起迴遶也遶身一周猶如束帶而然

陽蹻脉者起於跟中循外踝上行入風池陽蹻之脉起自足跟循足外踝申脉穴而上行入于風池風池穴後頂後髮際陷中

陰蹻脉者亦起於跟中循内踝上行至咽喉交貫衝脉陰蹻脉亦於跟中照海穴循内踝而行蹻者捷也以二脉皆起於足故取蹻捷超越之義

陽維陰維者維絡於身溢畜不能環流灌溉諸經者也故陽維起於諸陽之會陰維起於諸陰之交也比于聖人圖設

溝渠溝渠滿溢流于深湖故聖人不能拘通也而人脉隆盛入於八脉而不環周故十二經亦不能拘之其受邪氣畜則腫熱砭射之也陽維陰維之會交之處在本義宜考之也

本義曰溢畜不能環流灌溉諸經者也十二字當在十二經亦不能拘之之下則於此無所関而於彼得相從二矣其受邪氣畜云云十二字謝氏則以為於本文上下當有缺文然脉經無此疑衍文也或云當在三十七難

関格不得尽其命而死矣之下因耶
在六府而言也
二十九難曰奇經之爲病何如
然陽維維于陽陰維維于陰陰陽不能
自相維則悵然溶溶不能自收持陽維
爲病苦寒熱陰維爲病苦心痛本義云二十九難陽維爲病苦寒熱陰維爲病苦心痛當本皆在腰溶溶若坐水中下謝氏移寘溶溶不能自收持下文理頌從少有眩攻而然今從之〇隂陽下能維於一身則神患不爽悵然失宗也身体懈怠不便收持也溶溶緩漫
負

陰蹻爲病陽緩而陰急評林曰按張世賢云緩急即虛實之義愚以爲病勢輕重以氣虛實筋膜弛縮身體快痛冷熱皆可以緩急言也

陽蹻爲病陰緩而陽急倣陰蹻之病而推之

衝之爲病逆氣而裏急評林云此衝脉爲病不能行於上而必有所急於內也言衝脉起於氣衝穴並足少陽夾臍上行至胷中而散則裏因所行脉路焉今衝脉受病故氣逆而不能上何以能至胷中而散氣聚腹中而不能散何以免在裏之急也其爲病之在裏者如此

督之爲病脊強而厥時珍曰金匱云脊強者五痓之總名其症卒口噤脊反張而瘛瘲評林曰厥之爲言逆也云云

任之為病其內苦結男子為七疝女子為瘕聚評林云內之為言腹也男子有結聚之苦則為七疝焉女子有結聚之苦則為瘕聚焉病之在於腹者如此云云其七疝八瘕之名記首

帶之為病腹滿腰溶溶若坐水中病則肚腹膨滿腰間緩慢畏寒故溶溶若坐水中

此奇經八脉之為病也本義曰自二十七難至此義相回最宜通玩

三十難曰榮氣之行常與衛氣相隨不

然經言灵樞營衛生會篇人受氣於穀穀入於胃乃傳與五臟六腑經無此四字只有腑一字五臟

榮衛清濁升降圖

經云地氣上為雲天氣下為雨

離☲　天之濁降也

地之清升也　☵坎

雨出地氣雲出天氣此之謂也

六腑皆以受於氣此處肯綮其清者為榮濁者為衛榮行脉中衛行脉外營周不息五十而復大會陰陽相貫如環之無端至此皆經之文也故知榮衛相隨也越人決語之文耳清者躰之上也陽也火也離中之一陰降故午後一陰生即心之生血也故曰清氣為榮天之清不降天之濁能降為六陰驅而使之下也云清氣者捻離之体而言之濁者躰之下也陰也水也坎中之一陽外故子後一陽

生即腎之生氣也故曰渭氣爲衛（地之渭不外地之清能外爲六陽舉使之上也渭氣者摠抉之体而言之）榮衛應宗氣之呼吸（医學綱目卷之一曰）五穀入於胃也其糟粕津液宗氣分爲三隧故宗氣積於胸中出於喉嚨以貫心肺而行呼吸焉榮氣者泌其津液注之於脉化以爲血以榮四末内注五臓六腑以應刻數焉衛氣者出其悍氣之慓疾而先行於四末分肉皮膚之間而不休者也昼行於陽夜行

於陰常從足少陰之分間行於五臟六腑見于灵枢邪客篇帝曰榮衛之行柰何伯高曰穀始入於胃其精微者先出於胃之兩焦以溉五臟別出兩行榮衛之道其大氣之摶而不行者積於胷中名曰氣海出於肺循喉咽故呼則出吸則入天地之精氣其大數常出三入一故穀不入半日則氣衰一日則氣少矣灵五味篇〇或問榮衛若隨宗氣之呼吸則

其榮衛盖同道行其各道者何耶予曰昏經註曰牛馬見風則走牛喜順風馬喜逆風云宗氣猶風榮衛猶牛馬也彼又問牛馬亦五十度為大會瞰手時予悽然變容曰甚矣予之難悟也吾爲分喻欲使悟之則子爲全喻欲合之止止不可言

○大會辯　医學綱目曰衛出於上焦常與榮俱晝行於陽二十五周夜行於陰二十五周故至平且五十周

復與榮氣大會於手太陰矣此言衛氣與榮氣相會未嘗及宗氣今許昌滑壽著十四經發揮謂氣行一萬三千五百息脉行八百一十丈適當寅時復會於手太陰則是辨積於胃中呼吸與榮周相會之宗氣牽合作晝行陽夜行陰與榮五十周方會之衛氣也非研經義罪孰甚焉○私曰馬玄臺與王文潔之罪尚甚于焉

難經捷徑上卷終

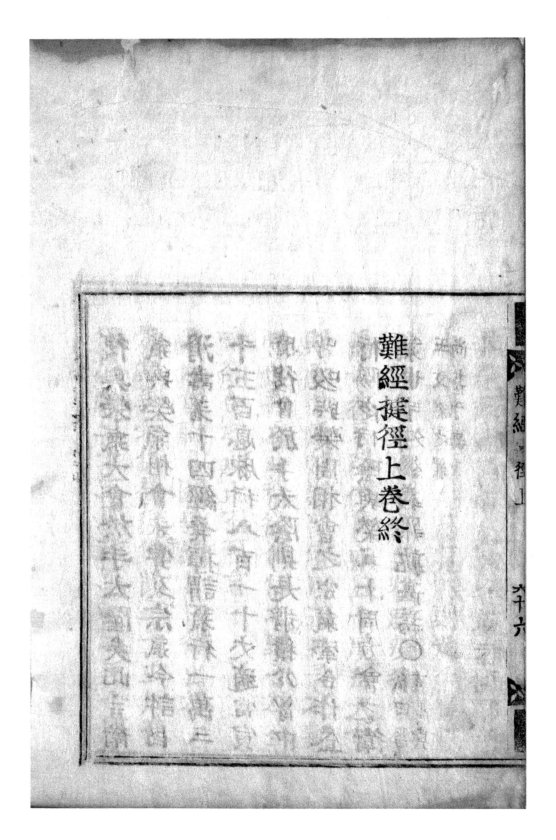

7
135

難經捷徑

壽德菴玄由九拜

三十一難曰三焦者何禀何生何始何終其治常在何許可曉以不

圖註曰禀禀賦也生發也始起也終止也三焦者禀腎間動氣以資始籍胃中穀氣以資生為决瀆之官水道出焉水穀自上焦而入自下焦而出治猶司也猶郡縣治之治謂其處也然三焦者水穀之道路氣之所終始也

上焦者在心下下膈在胃上口主内而不出其治在膻中玉堂下一寸六分直兩乳間陷者是素問鈔曰膻徒旱切上声瀉音○評林曰宗氣會於膻中故氣病治此穴耳婦人乳岳故取穴有相傳

中焦者在胃中脘不上不下在臍上四寸胃之募也不上不下者中脘之正面也主腐熟水穀其治在臍傍天樞穴也

下焦者在臍下當膀胱上口主分別清濁主出而不内以傳導也其治在臍下一寸陰交穴故名曰三焦其府在氣街一本

云衝字
医家大法曰下焦者在臍下當膀胱上口主分別清濁出而不內以傳導也又云闌門以分別其水則滲灌注入膀胱上口而爲溲海云前人云膀胱有上口非不知無也防以言之者但恐說六府處更言胞子則辞理差混故言胞上口爲膀胱上口也讀者當識之云又医統有詳解也云學者宜互見全文圖註曰一本云衝一曰非越人之言乃後人

曰別本不同而加者也如係越人之言衍衝不必兩言矣

三十二難曰五藏俱等而心肺獨在鬲上者何也 句解曰五藏皆在腹肚中心肺獨在胷鬲之上者如何〇本義曰鬲者膈也凡人心下有鬲膜與脊脇周回相着所以遮膈濁氣不使上薰於心肺也四明陳氏曰此特言其位之高下耳云云其餘記答文

然心者血肺者氣血爲榮氣為衛相隨上下謂之榮衛通行經絡營周於外故令心肺在鬲上也 通行經絡者係榮營周於外者係衛也

四明陳氏曰若以五藏德化論之則

尤有説焉心肺既能以血氣生育人身則此身之父母也以父母之尊亦自然居于上矣內經刺禁論鬲肓之上中有父母此之謂也醫家大法曰心膈上下曰肓肺主氣心主血共榮衛于身故爲父母也

三十三難曰肝青象木肺白象金肝得水而沉木得水而浮肺得水而浮金得水而沉其意何也評林李弁正曰意之爲言義也云云記首

問于肺肝浮沉上下故借水以爲喻

然肝者非爲純木也乙角也庚之柔句

大言評林曰言論也陰與陽小言夫與婦釋其微陽而吸其微陰之氣其意樂金又行陰道多故令肝得水而沉也肺者非為純金也辛商也丙之柔句大言陰與陽小言夫與婦釋其微陰婚而就火其意樂火又行陽道多故令肺得水而浮也

圖註曰純不雜也角木音也商金音也木生曰微陽微陽者陰多也金生曰微陰微陰者陽多也非純木純金者因其陰明交配也乙庚辛丙語其

大陰與陽語其小夫與婦夫婦即陰陽也釋去也吸受也木受氣於申申七月也長生在亥亥十月也皆是陰道臨官於寅寅正月也帝旺於夘夘二月也方是陽道故曰行陰道多金受氣於寅長生在巳巳四月也皆是陽道臨官於胛帝旺於酉酉八月也方是陰道故曰行陽道多

肺熟而復沉肝熟而復浮者何也

故知辛當歸庚乙歸甲也弁正云補註故字今從之

注義作然共義乃丙與辛合乙與庚合者是也○圖註曰熟即死也死則不能交配矣木死則変爲純陽金死則変爲純陰故浮者熟而沉沉者熟而浮也辛歸庚其意不樂火而爲純金乙歸甲其意不樂金而爲純木純金則爲純陰矣純木則爲純陽矣○私曰金與木失其夫而辛金歸庚金乙木帰甲木也如此言則其首尾好評林曰甲木陽木而爲乙之兄乙雖隂木而爲甲之妹俱臨官于寅帝旺于夘也此乙所以有微陽也○金亦做此可推之也○其詳宜考本吾也凡者指其臟而言也

三十四難曰五藏各有聲色臭味皆可曉知以不此問中欠液字荅文言液也本義有圖宜考之也

然十変言一藏各有声色臭味液合府則十変也評林十変吾名也

肝色青其臭臊其味酸其聲呼其液泣
心色赤其臭焦其味苦其聲言其液汗
脾色黃其臭香其味甘其聲歌其液涎
肺色白其臭腥其味辛其聲哭其液涕
腎色黑其臭腐其味鹹其聲呻其液唾
是五藏聲色臭味液也

本義評林等雖有詳解此非所大義頗故姑置之不記耳學者有餘力則宜考之

五藏有七神各何所藏耶俗解曰五藏之藏去声餘藏字並平声雖然答文一句俱可用去声欲學者宜致工夫矣

臟藏者人之神氣所舍藏也五藏之灵皆曰神故肝藏魂肺藏魄心藏神脾藏意與智腎藏精與志也

右出於素問宣明五氣篇也即古今註詳也故不贅之

三十五難曰五藏各有所句府皆相近而心肺獨去大腸小腸遠者何也

然經言心榮肺衛通行陽氣故居在上大腸小腸傳陰氣而下故居在下所以相去而遠也

陰陽應象大論曰清陽出上竅濁陰出下竅又圖註曰然人水穀入胃其氣之精者為血悍者為氣其纖濁傳于大腸小腸也精悍之氣陽也纖濁之氣陰也陽氣心肺通行陰氣大腸小腸傳二心肺不得不居于上而大腸小腸不得不居于下也

又諸府者皆陽也清淨之處今大腸小腸胃與膀胱皆受不淨其意何也

又問諸府既皆陽也則當為清淨之

處何故大腸小腸胃與膀胱皆受不淨耶

然諸府者謂是非也經曰灵蘭秘典論小腸者受盛之府也大腸者傳瀉行道之府也膽者清淨之府也胃者水穀之府也膀胱者津液之府也一府猶無兩名故知非也小腸者心之府大腸者肺之府膽者肝之府胃者脾之府膀胱者腎之府

謂諸府爲清淨之處者其說非也唯

膽足以當之
小腸謂赤腸大腸謂白腸膽者謂青腸胃者謂黃腸膀胱者謂黑腸下焦之所治也
腑之色類臟之色也故名不同及胃受納水穀傳化而至下焦轉瀉不别清濁而出焉故曰下焦之所治也
三十六難曰藏各有一耳腎獨有兩者何也
然腎兩者非皆腎也其左者爲腎右者

爲命門命門者諸神精之所舍原氣之所繫也男子以精女子以繫胞故知腎有一也

医家大法曰惟胞有二焉畧之説于本義私記中

本義曰此篇言非皆腎也又三十九難云其氣與腎通是腎之兩者其實則一亦項氏家説引沙随程可久曰北方常配二物故惟坎加習於物爲龜爲蛇於方爲朔爲北於太玄爲罔爲冥難經曰藏有一而腎獨兩此之

謂也六此外易經習坎卦本草綱目六豇豆條肘望等皆本此意耳歌括云歌二火難言一水勝水中真火火真陰順之水火常相濟逆則元陽被賊侵論云經言一水不勝二火勢不兩立自吾觀之一水二火陰陽之分数也火多水少陽道常饒陰道常乏也水之勝火五行之正理也有不能勝者豈水之罪哉故以卦言之坎屬腎水坎外陰而內陽水中之真火也離屬心火離外陽而內陰火中

之真水也一水一火互爲其根以六
氣言之少陰君火手少陰心火足少
陰腎水腎之配心火中有水也以五
藏言之五藏各一惟腎有二左爲腎
屬水右爲命門屬火左右相對水中
有火也心包絡之從心三焦之從腎
水火相盪陰陽相對初無彼此之分
水升而上火降而下以成既濟之功
蓋心曰帝君腎曰帝后君后常為一
身之主而神臟形臟皆聽命焉經所

謂上明則下安以此養生則壽者是也如神太勞則傷心精太洩則傷腎君失其職故相火僭妄專主之權五官六賊之火莫不倚相火之勢乘其所勝侮所不勝其所生者受病也此水之所以不能勝火而火爲元氣之賊也經所謂主不明則十二官危使道閉塞而不通形乃大傷者是已

三十七難曰五藏之氣於何發起通於何許可曉以不然五藏者當上関於九

竅也
證義云上関九竅者當言外関九竅
爲是不合言上関九竅也
天錫言隱於腹者爲内達於形之上
者曰上故在腹内曰五臓通於形之
上曰九竅所以本經言上関九竅也
證義言本經之誤恐未中理
故肺氣通於鼻鼻和則知香臭矣肝氣
通於目目和則知黒白矣脾氣通於口
口和則知穀味矣心氣通於舌舌和則

知五味矣王文潔意者口知穀味舌知五味其用相須而口舌共可作一竅不拘于心脾之分也學者當以斯言爲的也腎氣通於耳耳和則知五音矣五藏不和則九竅不通六府不和則留結越人所加爲癰本義曰此二句結上起下之辭五藏陰也陰不和則病於內六府陽也陽不和則病於外邪在六府則陽脈不和陽脈不和則氣留之氣留之則陽脈灵作氣盛矣邪在五藏此四字灵作陽氣太盛則陰脈不和陰脈不和則血留之血留之則陰脈灵作氣成矣陰

氣太盛則陽氣不得相营也故曰格灵樞作關

陽氣太盛則陰氣不得相营也故曰關灵樞作格○灵樞與難經關與格之相違於今世無知人既馬古臺不知此理而謗難經矣於神應王扁鵲聊亦無誤我畧三難説之龐氏謂獨覊獨溢非死脉宜補瀉而以生之云云非志道之人决定而不可泄素灵異

陰陽俱盛不得相营也故曰關格關格者不得尽其命而死

此是三難所謂真藏之脉也必死之脉也不得尽其天命而死也難經之後仲景丹溪等明医出現而不得小便謂之關不得飲食謂之格但獨關獨格非

真死之証若至関格則不得尽其天命而死矣馬氏不識之又謗明医矣悲哉痛哉

經言氣獨行於五藏不営於六府者何也問意者難渋于不和答意者譲説于和調然夫張世賢曰夫當作人氣之所行也如水之流不得息也故陰脉営於五藏陽脉営於六府如環無端莫知其紀終而復始其不覆溢人末四字灵樞作流溢之氣内温於藏府外濡於腠理圖註云内則藏府温和外則腠理潤澤○腠理者毛孔文路也云云

於此有四明陳氏註忠於灵樞罪於難經故捨而不取之耳

三十八難曰藏唯有五府獨有六者何也然所以府有六者三焦也有原氣之別焉評林曰別之爲義蓋正而言也主持諸氣有名而無形其經屬手少陽此外府也故言府有六焉

本義評林等引六十六難言三焦為原氣之別使宜互見於彼難也故此畧之

本義曰蓋三焦外有經而內無形假令他臟

腑各或如茻瓜或如越瓜而有形而蔓亦在也此三焦惟有蔓而無其瓜
耳馬玄臺註于灵樞本藏篇而引其本經與三曰方謂三焦有形者之誤也
外府者非五藏之正府故曰外府也
韻會曰三焦爲孤府非正府也
三十九難曰經言府有五藏有六者何
也評林曰按徧考內經止言五藏而未掌有六止言六府而未掌有言五今云然者自擬之辭耳
然六府者正有五府也五藏亦有六藏
者謂腎有兩藏也滑伯仁於三十六難言之詳也又評林曰
內經言手足有三陰則心包絡與心爲兩經未掌少腎爲兩經今所謂腎

有兩藏者非也且手少陽爲心包絡
之府分明府有六焉豈得謂之五哉
其左爲腎右爲命門如豇豆而俱在左
尺一節四十二難
曰腎有兩枚重一斤二兩云非在一
昕豈可秤之耶右尺決心主手三焦也
命門者精神之所舍也男子以藏精女
子以繫胞其氣與腎通故言藏有六也
府有五者何也然五藏各一府三焦亦
是一府然不屬於五藏故言府有五焉
四十難曰經言肝主色心主臭脾主味
腎主液鼻者肺之候而反知香臭耳者
腎之候而反聞聲其意何也然肺者西

方金也金生於己巳者南方火火者心也主臭故令鼻知香臭腎者北方水也水生於申申者西方金金者肺肺主聲故令耳聞聲

肝木也木之華蕚敷布五色故肝主色心火也火之化物五臭出焉故心主臭脾土也味自土生故脾主味肺金也声出於金故肺主声腎主水也液皆水屬故腎主液肺主声鼻屬于肺不能聽声而反知香臭腎主液耳屬于腎不爲液而反能聞声果何如耶盖由肺屬西方金金長生在己南方巳午未巳正火臨官之地火在臟

爲心心主臭鼻雖屬肺肺金生于心火之位故令鼻知香臭腎屬北方水水長生在申西方申酉戌申正金臨官之地金在臟爲肺肺主声耳雖屬腎腎水主於肺金之位故令耳能聞聲焉

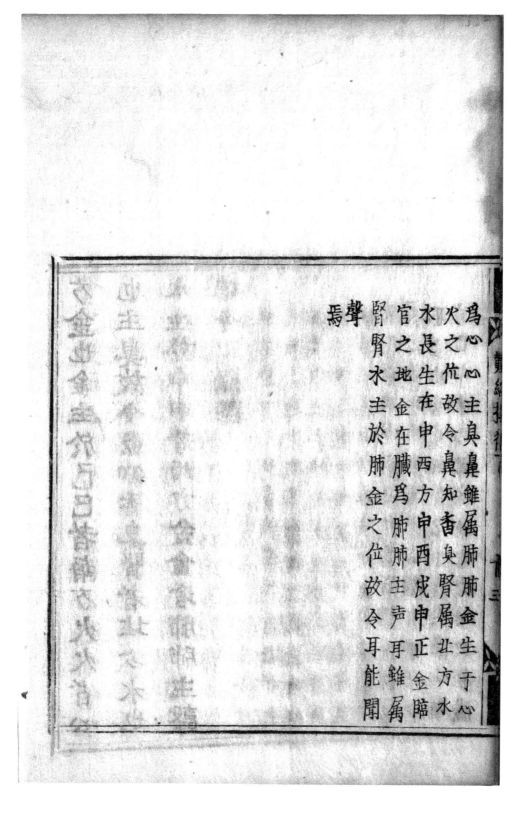

四十難發明耳聞鼻臭圖

此圖言五行左旋而屬陽者也陰則以培胎之位為受氣之位而右旋也土則寄王四季於辰戌丑未之月各王一十八日萬物所知所能皆在長生之時不在臨官帝王之位

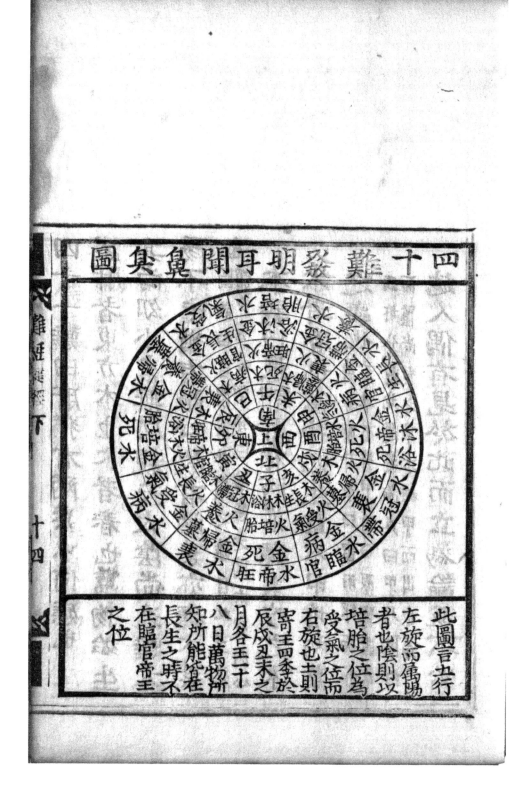

四十一難曰肝獨有兩葉以何應也

然肝者東方木也木者春也萬物始生其尚幼小意無所親去太陰尚近離太陽不遠猶有兩心故有兩葉亦應木葉也圖註曰自彼至此謂之離自此至彼謂之去云云評林曰離戀之間尤有兩心

本義曰愚謂肝有兩葉應東方之木木者春也萬物始生草木甲坼兩葉之義也周易解卦彖曰雷雨作而百菓草木皆甲坼○原齊寯氏云坼分裂也運氣論奧曰甲乃陽內而陰尚包之草木始甲而出也云云

越人偶有見於此而立為論說不必

然不必不然其曰太陰太陽固不必指藏氣及月令而言但隆冬為陰之極首夏為陽之盛謂之太陰太陽無不可也凡讀昚要領融活不可滯泥先儒所謂以意逆志是謂得之孟子萬章云説詩者不以文害辞不以辞害志以意逆志是為得之註逆迎也言説詩之法不可以一字而害一句之義不可以一句而害設辞之志當以己意迎取作者志乃可得之○慶源輔氏曰意是己意志是詩人之志以我之意逆取詩人之意然後可以得之也信矣滑伯仁致信仰于先儒之此語也後篇謂肝左

三葉右四葉此云兩葉總其大者尔

本義難經彙攷部曰四十一難云肝有两葉四十二難云肝左三葉右四葉凡七葉言两葉者舉其大言七葉尽其詳左三右四亦自相陰陽之義肝屬木木爲少陽故其數七

四十二難曰人腸胃長短受水穀多少各幾何

凡此問荅以腸胃篇與平人絶穀篇錯綜而言者也甲乙經序曰或曰素問鍼經明堂三部之書非黄帝書似出於戰国曰人生天地之間八尺之軀藏之堅脆府之大小穀之多少脉之長短血之清濁十二經之血氣大數皮膚包絡其外可剖而視之乎非大聖上智孰能知之戰国之人何與焉

腸胃大一尺五寸，徑五寸俗解曰大圍也徑直也○丁曰胃大一尺五寸徑五寸者即是圍三徑一也[曰]是也長二尺六寸，橫屈受水穀三斗五升，其中常留穀二斗，水一斗五升。丁氏有造斗升尺寸四者之法也見于集註小腸大二寸半，徑八分分之少半，長三丈二尺，受穀二斗四升，水六升三合合之太半。俗解曰[合]音各下同合受之合如字楊曰太半者三分有二太半有一爲少半[太]唐佐切巨也○評林曰合之太半者六七勺矣云云回腸即大腸也大四寸，徑一寸半私曰半者三分餘也

長二丈一尺受穀一斗水七升半

廣腸即直腸也大八寸徑二寸半長二尺八寸受穀九升三合八分合之一評林曰盖言九升三分八勺一秒也

故腸胃凡長五丈八尺四寸楊曰攙甲乙經言腸胃長六丈四寸四分所以與此不同者甲乙經從口至膔腸而數之故長此經從胃至膔腸數之故短亦所以互相發明非有謬也合受水穀八斗七升六合八分合之一

此腸胃長短受水穀之數也

靈	難
九斗	八斗
二升	七外
一合	六合
六分太半	八分合之一

二經之不同蓋難經總括有刀筆之誤者歟滑曰其間受盛之数各不相同然非大義之所關姑闕之以俟知者

肝重四斤四两左三葉右四葉凡七葉主藏魂本義彙攷條有詳解耳

心重十二两中有七孔三毛盛精汁三合主藏神圖註曰上智之人心有七孔三毛中智之人心有五竅二毛下智之人心有三竅一毛常人心有二竅無毛愚人心有一竅下愚人

心有一竅甚小盛精汁三合兩精相搏謂之神神者精氣所化也

脾重二斤三兩扁廣三寸長五寸有散膏半斤主裹血溫五藏主藏意俗解曰脾藏營註曰一本作藏意愚案灵樞本神篇云脾藏營營舍意云云他皆言其灵何至脾獨言其舍耶俗解之說非也

肺重三斤三兩六葉兩耳凡八葉主藏魄評林曰六大葉二小葉似兩耳○咸問金數九也何有八葉耶本義彙攷曰此五藏配合陰陽皆天地自然之理非人之所能為者若馬之無膽兎之無脾物固不得其全矣註云周予云木陽穉金陰穉是也

腎有兩枚重一斤二兩主藏志腎兩皆在左尺

上難言之詳若非有一所豈有稱之耶

膽在肝之短葉間重三兩三銖盛精汁三合

胃重二斤一兩紆曲屈伸長二尺六寸大一尺五寸徑五寸盛穀二斗水一斗五升

小腸重二斤十四兩長三丈二尺廣二寸半徑八分分之少半左迴疊積十六曲盛穀二斗四升水六升三合合之太半

大腸重二斤十二兩長二丈一尺廣四寸徑一寸當臍右廻十六曲盛穀一斗水七升半評林曰此復舉首篇胃與大腸小腸之所未備者而言也夫胃之長大與夫所容水穀吾既言矣其重二斤一兩紆曲屈伸亦不可不知也小腸之長徑大與所容水穀吾既言矣其重二斤十四兩左廻疊十六曲亦不可不知也大腸之長廣与所受之水穀吾既言矣其重二斤十二兩徑止一寸不必有一寸半焉當臍右廻疊一十六曲亦不可不知也

膀胱重九兩二銖縱廣九寸盛溺九升九合口廣二寸半評林曰此論膀胱重大容受之數也言膀胱者吾之未言也其重有九兩二銖其直廣計九寸盛溺九升九合有下

口而無上口則下口止二寸半耳○竊按評林以口廣二寸半爲膀胱之下口者恐非也人之顏中口也自口字立首而可連續于下句也尚記左

唇至齒長九分口廣二寸半圈中五字當在此處

傳寫之誤也腸胃篇曰唇至齒長九分口廣二寸半云云

齒以後至會厭深三寸半大容五合舌重十兩長七寸廣二寸半咽門重十二兩廣二寸半至胃長一尺六寸喉嚨重十二兩廣二寸長一尺二寸九節肛門重十二兩大八寸徑二寸太半長二尺八寸受穀九升三合八分合之一

評林曰此論唇齒會厭舌與咽喉肝門長廣徑受之故也言唇齒与舌咽門喉嚨肝門者乃七衝門与九竅中之所有也云尚雖有詳釈不違悉誌

四十三難曰人不食飲七日而死者何也

以平人絶穀篇爲問荅也但其文大同小異也人者謂平人也荅文可見

然人胃中常有留穀二斗水一斗五升故平人日再至圊一行二外半日中五外七日五七三斗五升而水穀尽矣故平人不食飲七日而死者水穀津液俱尽即死矣

平人者不病之人也人無根株以飲食爲命故也故不飲食則死耳

四十四難曰七衝門何在衝通也要也爲衝要之地

然脣爲飛門齒爲户門會厭爲吸門胃爲賁門太倉下口爲幽門大腸小腸會爲闌門下極爲魄門故曰七衝門也

評林曰按内經並無七衝門惟五藏別論云魄門亦爲五藏使水谷不得久藏灵樞營氣篇有究于賁門引楊玄操之言賁門即衝門又是賁門餘自魄門外並無可考今越人言七衝者以飲食入于脣碎於齒受於會厭腐熟太倉而出下口輸於小腸大腸出肛門衝要通達以立命根故謂衝門

逐一註七衝門在諸家今畧之耳

四十五難曰經言八會者何也評林云素問灵

樞並無八會之說謂之經言則非越人自謂也此與七衝門皆不可考抑越人時有此經言而今則失之者與

然府會太倉藏會季脇筋會陽陵泉髓會絶骨血會鬲俞骨會大杼脉會太淵氣會三焦外一筋直兩乳内也熱病在内者取其會之氣穴也

評林曰此言人有八會也經言人有八會何也然腑之為會在于太倉蓋以胃者水穀之海為六腑之大源也臟之為會在於章門即足厥陰肝經穴

也（章門即在季脇）筋者一身之筋也而其會則在于陽陵泉（在膝下一寸外廉陷中）髓者骨中脂也有骨必有髓而其會在于絕骨（一名陽輔在足外踝上四寸輔骨前絕骨端如前三分又有另義也）血之在吾身也猶水在地中無處無之而會在於膈俞穴在脊之第七椎下去中行各一寸半也大杼在項後第一椎下去脊两旁各一寸半太淵在掌後陷中動脉即所謂寸口者脉之大會也氣者吾身之大氣営氣衛

氣也三焦者宗氣積于上焦營氣出于中焦衛氣出于下焦故曰氣會三焦而正胃之外一筋直兩乳間乃所謂膻中也蓋營衛皆統於宗氣故既言氣會于三焦而又言膻中之穴正以宗氣之爲大也取者鍼也鐵亦雖有補法專用熱病也

四十六難曰老人卧而不寐少壯寐而不寤者何也

然經言少壯者血氣盛肌肉滑氣道通榮衛之行不失於常度故晝日精爽夜

不寤也老人血氣衰肌肉不滑榮衛之道澁故晝日不能精夜不寐也故知老人夜不得寐也自故知已下越人之記也本義曰老人之卧而不寐少壯之寐而不寤係乎榮衛血氣之有餘不足也與灵樞營衛生會篇同

四十七難曰人面獨能耐寒者何也

然人頭者諸陽之會也諸陰脉皆至頸胷中而還獨諸陽脉皆上至頭耳故令面耐寒也

此一難之解本義引灵樞邪氣藏府病形篇今考甲乙經卷四病形脉診上皆同其解俱畧之又本義曰愚按手之三陽從手上走至頭足之三陽從頭下走至足足手之三陰從腹走至手足之三陰從足走入腹此彷以諸陰脉皆至頸胷中而還獨諸陽脉皆上至頭耳也

四十八難曰人有三虛三實何謂也

然有脉之虛實有病之虛實有診之虛實評林曰按此一節當通內傷外感而言

脉之虚實者濡者爲虚緊牢者爲實

脉兩手寸關尺之脉也濡者氣來不足而爲虚緊牢者氣來有余而爲實

病之虚實者出者爲虚入者爲實言者爲虚不言者爲實緩者爲虚急者爲實

出者從内而之外入者從外而之内出則五内自病而爲虚也入則外邪所傷而爲實也言者病而尚能言也非狂言之言亦五内自病而爲虚不言者病不能言也是外邪所傷而爲實是知陽勝則實陰勝則虚緩急言病勢也遲緩者精氣奪而爲虚卒急者邪氣盛而爲實也

診之虚實者濡者爲虚牢者爲實癢者爲虚痛者爲實外痛内快爲外實内虚

內痛外快爲內實外虛

本義曰診按也候也按其外而知之非診脉之診也濡者爲虛牢者為實脉經無此二句謝氏以爲衍文楊氏謂按之皮肉柔濡者爲虛牢強者為實然則有亦無害云云評林曰候滑氏以診爲按爲候楊氏謂按之皮肉柔濡者爲虛牢強者爲實李晞范亦同蓋脉之虛實也已見於前故此主皮肉言但以余思之濡牢本是脉名古人於診家重復言之又何害処況濡牢脉体所該廣所謂可通內傷外感此節又言耳○愚謂評林所言不應于三虛三實之名令也疑似牵強者欤故又引圖

註顯一義耳〇圖註曰診視驗也探病之通称兼望聞問切而言也濕爲虛牢爲實雖與上文脉之虛實相類此則所包者廣當闔開一步痒者氣欲通榮衛澀也痛者氣不通邪氣實也快爽也邪在外而不在內故外痛而內快病在內而不在外故內痛而外快痛則實快則虛也

故曰虛實也總結上文三虛三實而言

四十九難曰有正經自病有五邪所傷何以別之

然經言邪氣藏府病形篇文也本義不言經言者誤也憂愁思慮則傷心形寒飲冷則傷肺恚怒氣逆上而不下則傷肝飲食勞倦則傷脾久

坐濕地強力入水則傷腎是正經自病也

右正經自病之五傷發而中節烏能爲害過則傷人必矣故善養生者去泰去甚適其中而已（宜考于莊子達生篇開之之言）昧者拘焉乃欲一切拒絶之豈理也哉（昧者之見如外道斷滅中庸之見如釈家寂滅）也詳林子全集（本義曰）或曰坐濕入水亦從外得之也何爲正經自病曰此非天之六淫也

何謂五邪然有中風句解音釈中音衆丁氏曰中者傷也有傷暑有飲食勞倦有傷寒有中濕此之謂五邪

圖註曰或曰正經自病既言飲食勞倦五邪之病不宜亦言飲食勞倦然正經自病謂飲食勞倦止傷脾經也五邪爲病謂飲食勞倦傷脾而病傳各臟也中濕亦如之

假令心病何以知中風得之綱目卷四曰假令肝病當作心病何以知中風得之然其色當青青當作赤○與弁正相反以綱目爲正

本義曰此以心經一部設假令而發其例也肝主色肝爲心邪故色赤身熱脉浮大心也脇痛脉弦肝也尚詳圖註

何以知傷暑得之然當惡臭何以言之心主臭自入爲焦臭入脾爲香臭入肝爲臊臭入腎爲腐臭入肺爲腥臭故知心病傷暑得之當惡臭其病身熱而煩心痛其脉浮大而散

何以知飲食勞倦得之然當喜苦味也虛爲不欲食實爲欲食何以言之脾主

味入肝爲酸入心爲苦入肺爲辛入腎
爲鹹自入爲苦故知脾邪入心爲喜苦
味也其病身熱而體重嗜卧四肢不收
其脉浮大而緩

本義脾爲心邪故喜苦味身熱脉浮
大心也體重嗜卧四肢不收脉緩脾
也虛爲不欲食實爲欲食二句於上
下文無所發疑錯簡衍文也

何以知傷寒得之然當譫言妄語何以
言之肺主聲入肝爲呼入心爲言入脾

爲歌入腎爲呻自入爲哭故知肺邪入
心爲譫言妄語也其病身熱洒洒惡寒
甚則喘咳其脉浮大而濇
肺主聲肺爲心邪故譫言妄語身熱
脉浮大心也惡寒喘咳脉濇肺也
何以知中濕得之然當喜汗出不可止
何以言之腎主濕入肝爲泣入心爲汗
入脾爲涎入肺爲涕自入爲唾故知腎
邪入心爲汗出不可止也其病身熱而
小腹痛足脛寒而逆其脉沉濡而大此

五邪之法也
腎主濕濕化五液腎爲心邪故汗出不可止身熱脉大心也小腹痛足脛寒脉沉濡腎也○凡陰陽府藏經絡之氣虚實相等正也偏虚偏實失其正也失其正則爲邪矣此篇越人蓋言陰陽藏府經絡之偏虚偏實者也由偏實也故內邪得而生由偏虚也故外邪得而入

五十難曰病有虚邪有實邪有賊邪有

正邪何以別之然從後來者爲虛邪從前來者爲實邪從所不勝來者爲賊邪從所勝來者爲微邪自病者爲正邪

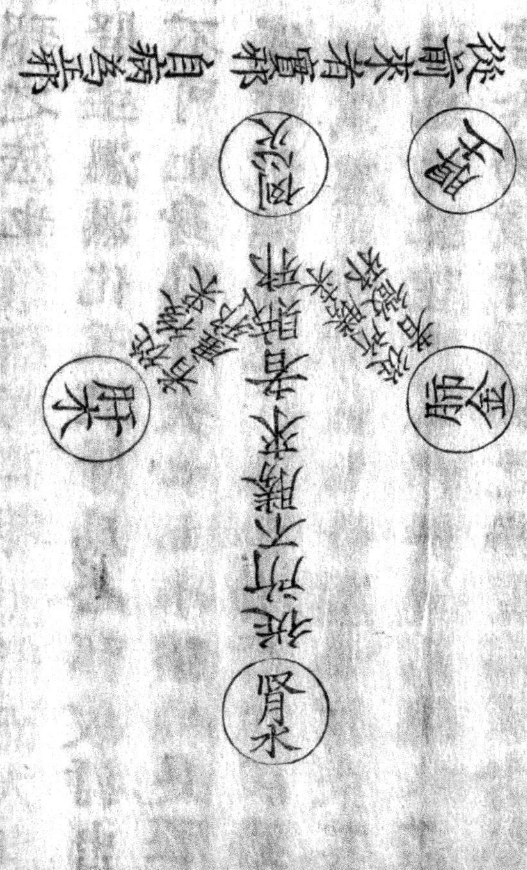

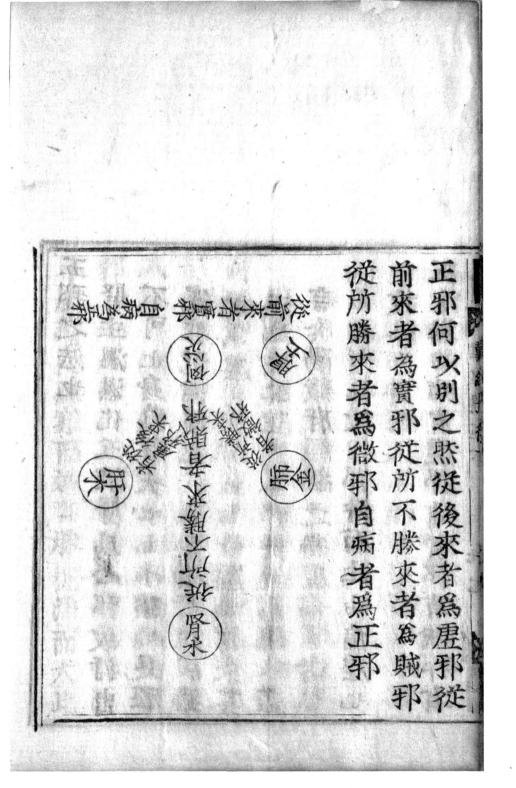

○或問從所勝來者何謂乎荅曰凡有二義一曰殺紂敗牧野之類所謂其德缺則雖有佑不持而為臣下被折訖一曰是猶吳王夫差之爭盟侮楚精銳悉行國內無備越王句踐乘其虛而伐之遂以破吳吳本侮楚而越竟破之侮反受邪即此義也

何以言之假令心病中風得之為虛邪傷暑得之為正邪飲食勞倦得之為實邪傷寒得之為微邪中濕得之為賊邪

此以心病為例復解上文之意

五十一難曰病有欲得溫者有欲得寒者有欲見人者有欲不見人者而各不

同病在何藏府也
然病欲得寒而欲見人者病在府也病欲得溫而不欲見人者病在藏也何以言之府者陽也陽病欲得寒又欲見人藏者陰也陰病欲得溫又欲閉户獨處惡聞人聲故以別知藏府之病也

六腑屬陽五臟屬陰蓋陽爲病則熱熱則欲得寒以奪之欲見人者陽性好爲繁擾也諸陰爲病則寒寒則欲得溫以濟之閉户獨處惡聞人声者陰性好安靜也病各不同所欲故異別其欲得寒欲見人而知其病之在腑别其欲得溫欲閉户獨處惡聞人声而知其病之在臟寒溫兼飲食衣

服言飲食寒溫入于中者也衣服寒溫適于體者也

五十二難曰府藏發病根本等不然不等也其不等柰何

然藏病者止而不移其病不離其處府病者彷彿賁嚮上下行流居處無常故以此知藏府根本不同也

本義曰此與五十五難文義互相發

又評林曰詳觀四十九難假令心病五邪及七傳間藏之說可知矣此言乃有臟病不移腑病上下流行之謂

愚按此言即五十五難論積聚之義殆啓其端而未竟其説若臟腑流行未嘗止息病勢生剋亦尒相乘何有止而不移者哉

五十三難曰經言七傳者死間藏者生何謂也經者素灵病傳論也又玉机真藏論有之予以此二篇作圖以見左

然七傳者傳其所勝也間藏者傳其子也何以言之假令心病傳肺肺傳肝肝傳脾脾傳腎腎傳心一藏不再傷故言

七傳者死也

此處註釈多岐而學者皆亡羊矣今取一家善註捨悪義耳医經小學曰七傳者死傳其所制註云如心病傳肺肺傳肝肝傳脾脾傳腎腎傳心火受水之傳一也肺金復受火之傳再也自心而始以次相傳至肺之再是七傳也故七傳者死一臟不受再傷也是傳其所勝尒

間藏者傳其所生也心病傳脾脾傳肺

肺傳腎腎傳肝肝傳心是子母相傳竟而復始如環無端故曰生也

或問如斯則常可好喜于間藏耶然此只言相尅者死相生者生之理耳豈好間藏耶　評林云　素問標本病傳論曰間者并行甚者獨行蓋并者並也相並而傳其所間也獨者特也特傳其所勝也玉機真藏論曰五臟受氣於所生傳於所勝氣舍於所生死所不勝病之且死必先傳行至所不

勝病乃死肝受氣於心傳於脾氣舍於腎至肺死心受氣於脾傳於肺氣舍於肝至腎死脾受氣於肺傳於腎氣舍於心至肝死肺受氣於腎傳於肝氣舍於脾至心死腎受氣於肝傳於心氣舍於肺至脾死此皆逆死也

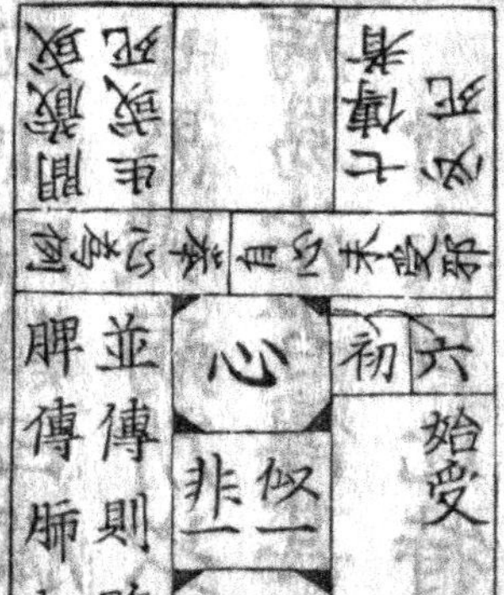

五十四難曰臓病難治腑病易治何謂也然臓病所以難治者傳其所勝也腑病易治者傳其子也與七傳間藏同法也滑氏曰此特各舉其一偏而言尒若藏病傳其所生亦易治府病傳其所勝亦難治也故龐安常云世之医書惟扁鵲之言爲深所謂難經是也越人寓術於其書而言之有不詳者使後人自求之歟今以此篇詳之龐氏可謂得越人之心者矣

五十五難曰病有積有聚何以別之

然積者陰氣也聚者陽氣也故陰沉而伏陽浮而動氣之所積名曰積氣之所聚名曰聚故積者五藏所生聚者六府所成積者陰氣也其發有常處其痛不離其部上下有所終始左右有所窮處聚者陽氣也其始發無根本上下有所留止其痛無常處謂之聚故以是別知積聚也

積者陰氣所生也象地而不動聚者陽氣所成也象天而轉運上下者積

之上下也終始者起止也左右者積之左右兩傍也窮處者積形所止之處而痛止于此也聚之病其形似有者無故始發無根本往來上下無定止痛亦無一定之處也因其病之或動或靜知其名之為積為聚焉

五十六難曰五藏之積各有名乎以何月何日得之

然肝之積名曰肥氣在左脇下如覆杯有頭足久不愈令人發咳逆瘄瘧連歲不已以季夏戊已日得之何以言之肺病傳於肝肝當傳脾脾季夏適王王者不受邪肝復欲還肺肺不肯受故留結

爲積故知肥氣以季夏戊巳日得之子和曰夫肥氣者不獨氣有餘也其中亦有血蓋肝藏血故也○甲乙經曰有頭足如龜鱉狀也○咳逆或吃逆之名或乾嘔之称雖然今於此處欬嗽之称也見于医學綱目嗽門也○瘠評林曰老也瘦也故曰連歲不已其餘皆滑氏解詳也

心之積名曰伏梁起臍上大如臂上至心心下心藏伏梁之外又有二甲乙經曰其一伏梁上下左右皆有根在腸

胃之外有大膿血此伏梁同肚癰其一伏梁身体髀股胻皆腫環臍而痛是爲風根也○儒門事親同

久不愈令人煩心以秋庚辛日得之何以言之腎病傳心心當傳肺肺以秋適王王者不受邪心欲復還腎腎不肯受故留結爲積故知伏梁以秋庚辛日得之脾之積名曰痞氣在胃脘覆大如盤久不愈令人四肢不收發黃疸飲食不爲肌膚以冬壬癸日得之何以言之肝病傳脾脾當傳腎腎以冬適王王者不

受邪脾復欲還肝肝不肯受故留結爲積故知痞氣以冬壬癸日得之肺之積名曰息賁在右脇下覆大如杯久不已令人洒淅寒熱喘咳發肺壅以春甲乙日得之何以言之心病傳肺肺當傳肝肝以春適王王者不受邪肺復欲還心心不肯受故留結爲積故知息賁以春甲乙日得之

評林曰或謂臟病止而不移今肺積息賁腎積奔豚而皆移者何也愚謂

腑病居處無常今息賁奔豚皆止于一處耳而不甚相移者也況肺主氣腎納氣氣有升降則積不無動也何必以臓積而致疑哉○滑氏註亦同焉○子和亦爲此疑以賁字爲賁門也若如此則腎積賁豚之賁亦爲賁門而豈可爲佳哉肺壅張也賢曰壅一作鬱言壅塞鬱結而不通也

腎之積名曰賁豚發於少腹上至心下若豚狀或上或下無時久不已令人喘逆骨痿少氣以亥丙丁日得之何以言

之脾病傳腎腎當傳心心以夏適王王者不受邪腎復欲還脾脾不肯受故留結爲積故知賁豚以夏丙丁日得之此五積之要法也豚者豕之子曰豚所謂家猪之名也

本義曰或問天下之物理有感有傳感者情也傳者氣也有情斯有感有氣斯有傳今夫五藏之積特以氣之所勝傳所不勝云尒至於王者不受邪是固然也若不勝者及欲還所勝所勝不納而留結爲積則是有情而爲

感矣且五藏在人身中各爲一物猶耳司聽目司視各有所職而不能思非若人之感物則心爲之主而乘氣機者也然則五藏畀各能有情而感乎曰越人之意蓋以五行之道推其理勢之所有者演而成文耳初不必論其情感亦不必論其還不還與其必然否也讀者但以所勝傳不勝及王者不受邪遂留結爲積觀之則不以辭害志而思過半矣

五十七難曰泄凡有幾皆有名不然泄凡有五其名不同識病捷經云泄瀉有二十二名故凡字非都合之義也只大凡之謂也想之

有胃泄有脾泄有大腸泄有大瘕泄名曰後重八字一句胃泄者飲食不化色黃自此而逐一說其症也飲食不化謂之完穀是也

脾泄者腹脹滿泄注食則嘔吐逆注者驟然瀉也脾歷受邪故肚腸膨脹充滿而泄驟食則嘔吐而上逆不下也

大腸泄者食已窘迫大便色白腸鳴切痛評林曰按大腸泄即今謂痢疾古謂滯下皆主濕熱熊宗立謂大腸有寒

邪故余㚇去寒字王机微義言白爲寒赤爲熱者非也要皆濕熱所致耳盖出自氣分出則自出白血分則赤如人之生癰疽者皆熱豈可以膿之白爲寒而赤爲熱乎○如切而痛曰切痛

小腸泄者溲而便膿血少腹痛也溲小便便指大便而言溲而便膿血謂小便不閉大便不裏急後重也此即本義說也但又大瘕泄下引謝氏而言与此似矛盾也私案謝氏釈其義滑氏釈其文

大瘕泄者裏急後重數至圊而不能便莖中痛上文言名曰後重者此之謂也滑氏云瘕結也謂曰有疑結而成者裏急謂腹內急迫後重謂肛門下墜惟其裏急後重故至圊而不能便莖中痛者小便亦不利也○私案莖者盖玉莖也評林曰莖岳者盖非也

五十八難曰傷寒有幾其脉有变不然傷寒有五有中風有傷寒有濕温有熱病有温病温病有二案卷之意此温病即瘟疫也熊氏曰温當作瘟尚詳其註也其所苦各不同病之所苦有此五者之不同也汗出惡風者謂之中風即傷風也無汗惡寒者謂之傷寒一身尽痛不可轉側者謂之濕温冬傷於寒至夏至之後而發者謂之熱病非其時而感不正之氣病多相似者謂之瘟病尚又詳于左○

小學云先生曰仲景治傷寒以寒字爲主用辛熱并熱等藥者主即病而言河間治熱病以熱字爲主用辛凉等劑者主不即病寒毒藏於肌膚至春変温至夏変爲熱病之意也私曰儒医精要雖立于論傷寒称四時之誤章恐非大道意故今不載其文耳

中風之脉陽浮而滑陰濡而弱濕温之脉陽浮而弱陰小而急傷寒之脉陰陽俱盛而緊濇熱病之脉陰陽俱浮浮之而滑沉之散濇

陰陽字皆指尺寸而言也

温病之脉行在諸經不知何經之動也各隨其經所在而取之取者用治之義詳見于本義

或問越人何只言温病不言有四瘟病耶曰四瘟病皆其至春而病温之從類也故舉春温病則四瘟皆在其中故越人曰温不曰瘟耳小學曰春時病温温疫温毒温瘧風温脉證分異五積痰因温疫病如傳染一家尽病是也温毒或發斑致瘧爲病至重

有寒熱往來者為温瘧風温多頭疼身熱常自汗之類（其詳宜考下本義評林傷寒論等）

傷寒有汗出而愈下之而死者有汗出而死下之而愈者何也

然陽虛陰盛汗出而愈下之即死陽盛陰虛汗出而死下之愈

王機微義熱門曰謹按趙嗣真曰素問論陰陽虛實四證者雜病也難經六難之文論脉也外臺所述之文論傷寒表裏也但仲景所主陰陽虛盛

之意理實與焉經云邪氣盛則實精氣奪則虛曰正氣先虛以致邪氣客之而爲盛實於是有陽虛陰盛陰虛陽盛二證之別如活人書卻將素問所論雜病陰陽虛盛四證合而引證仲景傷寒二證之法又改陽盛外熱作内熱陰盛内寒作外寒所論初未未嘗合曰拓仲景防主陰陽虛盛之理而詳說之蓋盛者指邪氣而言虛者指正氣而言陰陽虛盛邪正消長

之機且正氣在人陽主表而陰主裏邪氣中人表爲陰而裏爲陽若夫表之眞陽先虛故陰邪乘陽而盛實表受邪者陽虛也脉浮緊者陰邪盛於外也是謂陽虛陰盛所以桂枝麻黃辛甘之温劑汗之則陰邪消温之則眞陽長使邪去正安故愈又若裏之眞陰先虛故陽邪入陰而盛實裏受邪者陰虛也脉沉實者陽邪盛於裏也是謂陰虛陽盛所以用承氣酸苦

之寒劑下之則陽邪消寒之則眞陰長邪去正安故愈如其不然陽盛而用桂枝下咽即斃陰盛而用承氣入胃以亡是皆盛盛虛虛而致邪失正也以是知仲景所主陽虛陰盛陰虛陽盛二證之意深蓋指一爲表證一爲裏證邪正消長而言非兼言表和裏病裏和表病而謂之陰陽虛盛也況和者無病處也虛者受病處也斯論可謂得仲景之心法

寒熱之病候之如何也然皮寒熱者皮不可近經作附席毛髮焦鼻藁經作槁下同不得汗肌寒熱者皮膚痛脣舌藁無汗骨寒熱者病無所安汗注不痛齒本經作未藁痛本義曰齒未槁取其少陰于陰股之絡齒既槁死不治參本為誤明出于灵樞寒熱篇也本義曰愚按此蓋內傷之病曰以類附之東垣內外傷辨其兆於此乎云云尚有詳註宜考全支也又医家大法詳也此外難經註家皆以爲外感其誤不足言者也

五十九難曰狂癲之病何以別之

然狂疾之始發少卧而不飢自高賢也

自辯智自倨貴也妄笑好歌樂音洛妄行不休是也癲疾始發意不樂僵仆直視其脉三部陰陽俱盛是也

春甫曰癲狂之病總為心火所乘神不守舍一言盡矣巔者至高也火性炎上正如經云陽氣太上則狂巔狂則孔子所謂狂狷者之狂也子路篇灵樞經曰狂病始發少卧不饑自高賢也自辯智也自尊貴也故曰狂者進取志大而大言者也前謂狂言如有

肝見斯得之矣蓋心火懸熾言語善惡不避親疎此神明之乱也此之肝謂狂也蓋謂火熾之甚陽氣太上則病人亦乘陽火之上炎故棄衣而登高由狂而又癲此則聖人命名之義而有同中之異耳 又 入門曰譫議重陰與重陽 註 難經云重陰者癲重陽者狂河間以顛狂一也皆屬痰火重陰之說非也但世有發狂一番妄言妄語而不成又癲者又有痴迷顛倒

縱久而不發狂者故取河間合一於
前難經分析於後
或問二十難與此難其脉法似相背
宜從何之說耶然古今医統昏目條
惟正統間熊宗立俗解相傳愈失其
義如五十九難云顛狂之脉陰陽俱
盛俗解分陰分陽與本文畔諸如此
類甚多竊使後學瞞盲云云
俗解曰三部俱陽脉之甚在也三部俱陰脉之甚癲也云云混重陰之說故也
六十難曰頭心之病有厥痛有真痛何

謂也然手三陽之脉受風寒伏留而不去楊曰行也者則名厥頭痛詳見灵枢厥病篇也馬云厥之為義乃氣逆而致此連入連在腦者名真頭痛

王機微義曰痛引腦巔陷至泥丸宮者名真頭痛非藥之能愈夕発旦死旦發夕死人之頭有九宮中間一宮謂之泥丸也其神名真一

其五臟氣相干名厥心痛

本義曰灵枢厥病篇載厥心痛凡五胃心痛腎心痛脾心痛肝心痛肺心

痛皆五藏邪氣相干也其痛甚但在心手足青者即名真心痛其真心痛者旦發夕死夕發旦死弁正曰三其字冊去之云但弁正之意又不好○其真字下當有頭字也蓋欠文也即滑之義也

灵樞曰真心痛手足青至節虞曰至節者至肘膝也云青者慕婴曰手足寒至節不治青則必寒寒則少青者是也

六十一難曰經言望而知之謂之神聞而知之謂之聖問而知之謂之工切脉而知之謂之巧何謂也謂之四知肯綮大成謂之四象

對類大全謂之四妙刊誤附錄曰古人以切居望聞問之後則是望聞問之間已得其病情矣不過再胗其脉看病應與不應也若病與脉應則吉而易医脉與病反則凶而難治以脉參病意盖如此曷嘗以胗脉知病爲貴哉夫脉經一吞拳拳示人以胗法而開卷入首便言觀形察色彼此參伍以決死生可見望聞問切医之不可缺一也豈得而偏廢乎噫世孫善脉莫過叔

和尚有待于彼此參伍況下于叔和萬萬者耶故專以切脉言病必不能不至于無誤也安得爲医之良尚又同昏八段錦言之詳也宜互見于全文耳

然望而知之者望見其五色以知其病丹溪先生有能合色脉可以萬全論宜互見焉

聞而知之者聞其五音以别其病

四明陳氏曰五藏有聲而聲有音○歌哭呼笑呻宮商角徵羽曰五聲八音即五藏之声

音也
又（內傷 外傷）者（出言懶怯且先重後輕 発言壯厲且先輕後重）尚詳于本義医統等也有（八段錦第六一義宜考）問而知之者問其所欲五味以知其病所起所在也（韻會曰欲者愛也願也 論語述而篇云我欲仁）甲乙經云所問病者問所思何也所惧何也所欲何也所疑何也問之要察陰陽之虛實辯藏府寒熱疾病所生不離陰陽藏府寒熱虛實辯之分明治無誤矣○王海藏曰常人求診

拱默唯令切脉試其能知病否且脉人之氣血附於經絡熱勝則脉疾寒勝則脉遲實則有力虚則無力至於得病之由及所傷之物豈能以脉知之乎故医者不可不問其由病者不可不諱其故孫真人云未診先問最為有准

切脉而知之者診其寸口與第一難寸口其義同視其虚實以知其病病在何藏府也

扁鵲傳曰人之所病病疾多正義曰病厭患

多也言人厭患疾病多甚也而醫之所病病道少徐廣曰所病猶療病也故病有六不治云云〇老子經章七十一云夫唯病病是以不病聖人之不病也以其病病是以不病呂註南伯子綦曰我悲人之自喪者吾又悲夫悲人者吾又悲夫悲人之悲者其後而日遠矣若子綦者可謂病病者乎

經言以外知之曰聖以内知之曰神此之謂也末一句盖越人之所言者歟

圖註曰復引經文之言以結上文之意也外者有症見於外而可視驗也內者內有病而未見外也外則顯而易知內則隱而難見症見於外而知其內病者謂之聖病在於內外無可驗而能知之者謂之神

六十二難曰臟井滎有五腑獨有六者何謂也

評林曰 按井滎有五非言井有五滎有五也是言井滎俞經合共有五也腑

獨有六非言井滎有六也是言井滎
俞原經合共有六也所謂俞者孔穴
總名故在背之穴曰俞凡三百六十
五穴俱曰俞茲正文曰俞者亦止一
穴字耳與背爲俞字不同且俞字腧
字及灵樞本輸篇輸字互用自此難
已後另當詳載各難之下此難之意
與六十六難脗合無遺可合而觀之
焉
然府者陽也三焦行於諸陽故置一俞

名曰原府有六者亦與三焦共一氣也腑獨有六何也六府者陽也唯宗氣出於上焦營氣出於中焦衛氣出於下焦三焦之氣行於諸陽經之中故六府多一腧穴名之曰原乃三焦之所行氣所留止也使此原穴得以攝治六腑耳所以六府于井滎腧經合之外又有一原其名有六正以此原與三焦共一氣也非此上中下三焦與六府之原其爲一氣何必腑之有

是六者哉

六十三難曰十変言五藏六府榮合皆以井爲始者何也評林曰十変之說見十難有一脉十変即五邪剛柔此與下篇十変語意古經篇名耳然井者東方春也萬物之始生諸蚑行喘息蜎飛蠕動當生之物莫不以春生故歲數始於春月數始於甲故以井爲始也

亙豸四類詳于本義與評林也〇王宗正注云月数者誤也疑當作日字

自甲至癸爲十日故曰日数始於甲東方者物之所出也故歲数始於春日数始於甲榮合始於井其義一也天錫言井應東方春故歲亦始之於春甲乙木之屬春月應於木故言月数始於甲故以榮合始於井歲数始春月数始於甲是皆取其春而言也王宗正言以日数始於甲者似與經意稍遠恐未中理張世賢亦曰四時春爲之始甲乙木也正月與甲乙皆屬於春故十二个月之始則在甲非月建甲也或以月

作曰者非也一身之穴井爲之始井者始氣初行故春以井穴相同也

六十四難曰十変又言陰井木陽井金陰荣火陽荣水陰俞土陽俞木陰經金陽經火陰合水陽合土陰陽皆不同其意何也

然是剛柔之変也陰井乙木陽井庚金陽井庚庚者乙之剛也陰井乙乙者庚之柔也乙爲木故云陰井木也庚爲金故言陽井金也餘皆倣此本義有圖

評林曰此言陰經陽經井荣俞經合

屬于五行者以有剛柔相配也六十二難言藏之井滎等穴有五府之井滎等穴有六此以藏府俱爲五者盖陰經無原遇腧穴代之陽經有原遇腧穴併過雖有五六之分實不外乎五也滑伯仁曰十二經起於井木故陰井木生陰滎火陰滎火生陰腧土陰腧土生陰經金陰經金生陰合水陽井爲金故陽井金生陽滎水陽滎水生陽俞木陽俞木生陽經火陽經火

生陽合土此滑氏言母子相生也但越人發難之意則在剛柔相配故言十变又言陰經井屬木陽經井屬金陰經滎屬火陽經滎屬水等是陰陽經穴屬五行其不同也又曰此陰經陽經所屬五行固有母子相生之義又有剛柔配合之妙所謂大言陰與陽小言夫與婦也曰夫婦者即剛柔配合也易曰分陰分陽迭用剛柔其斯之謂歟係辞可考乎上語耳

六十五難曰：經言（灵枢九鍼十二原篇）所出爲井，所入爲合，其法柰何？

然：所出爲井，井者東方春也，萬物之始生，故言所出爲井也。所入爲合，合者北方冬也，陽氣入藏，故云所入爲合也。

井者，出泉之處，涓涓不絶，而無有餘不足也。合者，聚會之處，如水歸海，從淺以入深也。東方乃四方之始，春乃四時之始，井乃榮腧經合之始，故曰井者東方春也，萬物當春而始生，經

水始出所以謂之井也北方乃四方之終冬乃四時之終合乃井滎腧經之終故曰合者北方冬也陽氣於冬而伏藏經水所入所以謂之合也

六十六難曰經言肺之原出於太淵太淵在掌後橫文頭䐃中是大會手太陰之脉動也脉之心之原出于太陵太陵在掌後兩筋間䐃中或曰灵枢以太陵為心之原難經亦然而又别以兌骨為少陰之原諸家針灸書並以太陵為手厥陰心主之俞以神門在掌後兌骨之端者為心經所注之俞以此不同者何也按灵枢邪客篇曰少陰無輸心不病乎岐伯曰其外經病而藏不病故獨取其經於掌後兌骨

之端也其餘脉出入屈折其行之疾徐皆如手少陰心主之脉行也又本輸篇曰心出於中衝溜於勞宮注于太陵行於間使入于曲澤手少陰也尚詳本義

肝之原出於太衝太衝在足大指末節後二寸脾之原出於太白在足內側核骨下陷中腎之原出于太谿在足內踝後跟骨上動脉陷中少陰之原出于兌骨在手掌後兌骨端陷中一名神門乃少陰真心經也太陵心包絡脉之原其趣記于上太陵之兌也膽之原出于丘墟在足外踝微前陷中胃之原出于衝陽在足跗上去陷谷三寸三焦之原出于陽池在腕上陷者之中也三焦有講義乱后膀胱之原出于京骨在足外側大骨下赤白肉際陷中

大腸之原出于合谷在手大指次指岐骨間陥中

小腸之原出于腕骨在手小指外側腕前起骨下陥中

十二經皆以俞爲原者何也宜有講義處也想之

然五藏俞省于六府俞三字者三焦之所行氣之所留止也三焦之所行之腧爲原者何也

然臍下腎間動氣者人之生命也十二經之根本也故名曰原三焦者原氣之別使也主通行三氣經歷於五藏六府

評林曰按此篇三焦並不明言手少

陽三焦亦不明言上中下三焦愚思上中下之三焦為是蓋手少陽三焦原穴既在陽池何又通行三焦經歷五藏六府之原若此則手少陽三焦空然一氣而本經不必有陽池為原此上中下之三焦無疑也內云三氣者指宗氣營氣衛氣也蓋宗氣營氣始手太陰經歷五藏六府復會手太陰私曰有講義註此難衛氣始足太陽經歷五藏六府復會足太陽此三焦氣誠所

止輙爲原也或曰宗氣營氣衛氣由飲食入胃有精微之氣以生三氣今又云是腎間動氣何也蓋腎間動氣吾身自有之元氣此手少陽三焦之氣與右腎相合不無其氣在而實重乎腎惟上中下三焦之氣又爲元氣別使生於谷氣助于元氣學者辨之

私曰內經三氣者如評林所言也難經三氣者真元之氣與榮氣衛氣也此是我師秘所傳也紀天錫曰且下

焦稟原氣之氣原氣之氣者即真元之氣也上達至於中焦中焦主受五藏六府水谷精悍之氣化而爲榮衛榮衛之氣得真元之氣相合主氣通行達於上焦入肺經自肺經始經歷五藏六府也

原者三焦之尊號也故所止輒爲原五藏六府有病者皆取其原也

圖註曰 原者非三焦之實名乃三焦之尊號也本義曰 猶警蹕所至稱行在所

也書言故事曰警蹕畢御駕出入警蹕止行軼龤家○天子所居曰行在所

六十七難曰五藏募皆在陰而俞在陽者何謂也募與俞五藏空穴之總名也募猶募結之募言經氣之聚於此也俞史記扁鵲傳作輸猶委輸之輸言經氣由此而輸於彼也

然陰病行陽陽病行陰故令募在陰俞在陽

天錫言素問云腹者陰也背者陽也募在腹故爲陰俞在背故爲陽陰病生於内而行於外即陰行陽也故陽

俞在背陽病生於外而行於内即陽行陰也故募在腹素問陰陽應象論論針法曰從陰引陽從陽引陰以右治左以左治右蓋此是也尚綱目七卷此釈詳也宜考之

六十八難曰五藏六府皆有井滎俞經合皆何所主各與皆兩字至重而已

然經言灵樞九針十二原篇所出為井所流為滎所注為俞所行為經所入為合借水而爲喻井主心下滿滎主身熱俞主體重節痛經主喘咳寒熱合主逆氣而泄此五藏

六府井滎俞經合所主病也

天錫言若井之所治不以五藏六府皆主心下滿滎之所治不以五藏六府皆主身熱云云（評林註之曰愚謂不以五藏六府者猶云不分五藏六府也）又天錫言井主心下滿滎主身熱俞主體重節痛經主寒熱喘咳合主氣逆而泄者是五藏六府所主之病皆同耳令高承德呂廣丁德用（其註畧之）但言其藏不言其府恐爲未中理

地元圖出于難知與綱目八卷

六十八難曰元證脉合復生五象

井心濁下臍元證身熱體重節痛喘嗽

寒熱逆氣泄榮身熱心下滿小腸元證

體重寒熱逆氣俞體重節痛心下滿

胃身熱元證寒熱逆氣經

喘欬寒熱心下滿大腸身熱體重元證

逆氣合逆氣而泄心下滿膀胱身熱體重

寒熱元證假令膽病善潔面青

善怒元證得弦脉脉合又病心下滿當刺膽井

如見善潔面青善怒脉又弦又病身熱當刺膽滎又病體重節痛當刺膽俞如見善潔面青善怒脉又弦又病喘咳寒熱當刺膽經又病逆氣而泄宜刺膽俞合餘經例倣此假令肝經淋溲便難轉筋春刺井夏刺滎秋刺經冬刺合此是斷五邪之原

由謹案謂假令肝經則雖似府藏兼論而府與藏之其格不同未詳

五藏六府井滎俞經合之尤所在圖註等略

六十九難曰經言（灵枢經脉篇）虚者補之實者泻之不虚不實以經取之何謂也

然虚者補其母實者泻其子當先補之然後瀉之不虚不實以經取之者是正經自生病不中他邪也當自取其經故言以經取之

虚者補其母實者泻其子○或問此文解（滑氏／熊氏）言子能令母（實／虚）母能令子（虚／實）也此不同何謂也乎曰滑（熊）以（針家乎奪／五行生化）而言也其肯見

七十五難本義註也〇又脉訣刋誤曰難經曰虛則補其母實則瀉其子虛當補母人所共知千金曰心勞甚者補脾氣以益之脾旺則感於心矣此乃勞則補其子人所未聞蓋母生我者也子繼我而助我者也方其虛則補其生我者與郭葬書本骸得氣遺體受蔭同義方治其勞則補其助我者與荀子所謂未有子富而父貧同義此補虛與治勞之異也

本義曰先補後泻即七十六難所謂陽氣不足陰氣有餘當先補其陽而後泻其陰之意然於此義不属非闕誤即行文也不實不虚以經取之者即四十九難憂愁思慮則傷心形寒飲冷則傷肺云云者盖正經之自病者也楊氏曰不實不虚是諸藏不相乘也故云自取其經

七十難曰春夏刺淺秋冬刺深者何謂也然春夏者陽氣在上人氣亦在上故

當淺取之秋冬者陽氣在下人氣亦在下故當深取之

春夏各致取一陰秋冬各致一陽者何謂也本義曰致取也圖註曰致備也

然春夏溫必致一陰者初下鍼沉之至腎肝之部得氣引持之陰也秋冬寒必致一陽者初内鍼淺而浮之至心肺之部得氣推内之陽也是謂春夏必致一陰秋冬必致一陽

評林曰凡用鍼補瀉自有所宜不必

以是相拘也張世賢止明補泻之義不明四時皆有補瀉之法愚論春夏欲行補瀉初不鍼時先行取陰之法使陰得以和陽後行補泻以剌淺為主秋冬欲行補瀉初内針時先行取陽之法使陽得以和陰後行補泻以剌深為主觀越人一曰初下鍼二曰初内鍼則初之一字必有斷此行補瀉之意豈以取陰取陽而遂與上節之法相悖哉

陰陽例即人元圖（七十難註也載難知下卷綱目八卷）

七十一難曰經言刺榮無傷衛刺衛無傷榮何謂也（本義曰無毋通禁止之辭）

然鍼陽者臥鍼而刺之刺陰者先以左手攝按所鍼榮俞之處氣散乃內鍼是謂刺榮無傷衛刺衛無傷榮也（栄俞二字孔穴名見圖註）

評林曰此言左手攝按七十八難曰左手厭按是攝字與指得血而能攝之攝字同其厭字與壓字同作入声

廣韻云待也指按也見離騷九疑宋玉賦○綱目七卷曰攝者下針時如氣澁滯隨經絡上用大指甲上下切其氣血自得通行也　按者以手按針無得進退如按切之狀也○本義評林曰刺陰者先以左手按所刺之穴良久令氣散乃内針不然則傷衛氣也云云　私曰良久二字可見矣

七十二難曰經言知知迎隨之氣可令調之調氣之方必在察也陰陽何謂也

然所謂迎隨者知榮衛之流行經脉之往來也隨其逆順而取之故曰迎隨綱目七卷舉此難而其註曰右以迎隨分補瀉也然迎隨之法有三此法以鍼頭迎隨經脉之往來一也又瀉子爲迎而奪之補母爲隨而濟之二也又隨前法呼吸出納鍼亦名迎隨三也又鍼頭之隨者謂榮衛之流行經脉之往來手之三陰從胸走手手之三陽從手走頭足之三陽從頭走足足之

三陰從足走腹也圖註有圖迎者以針頭斜迎三陰三陽之來處針去也隨者以針頭斜隨三陰三陽之往處針去也

調氣之方必在陰陽者知其內外表裏隨其陰陽而調之故曰調氣之方必在陰陽

調氣之氣字即迎隨之氣也不可求他也〇又諸家註陰陽應象論曰從陰引陽從陽引陰謂頭陽足陰熱陽

寒陰頭有病下取之足有病上取之陰病熱引之陰使涼陰病寒引之陽使溫皆是也

七十三難曰諸井者肌肉淺薄氣少不足使爲補瀉也刺之柰何然諸井者木也滎者火也火者木之子當刺井者以滎瀉之故經言補者不可以爲瀉瀉者不可以爲補此之謂也

詳越人此說專爲瀉井者言也若當補井則必補其合此滑伯仁与王文潔之意也言子能

令母虛母能令子實之謂也又評林曰諸井者肌肉淺薄皆在手足指梢不足使也刺井者當刺滎又曰井主心下滿又曰春刺井蓋有時而當刺井者未始不可刺也但越人論子母相因之義則然耳此篇指陰經言故以井木滎火為子母若陽經又以井金滎木論矣

七十四難曰經言春刺井夏刺滎季夏刺俞秋刺經冬刺合者何謂也然春刺井者邪在肝夏刺滎者邪在心季夏刺

俞者邪在脾秋刺經者邪在肺冬刺合者邪在腎其肝心脾肺腎而繫於春夏秋冬者何也然五藏一病輙有五也假令肝病色青者肝也臊臭者肝也喜酸者肝也喜呼者肝也喜泣者肝也其病衆多不可盡言也四時有數而竝繫於春夏秋冬者也針之要妙在於秋毫者也

要妙出於老子經蘇由云聖人之妙雖智者有所不喻故曰要妙○本義曰

五藏一病不止於五其病尤衆多也而四時有数而並繫於春夏秋冬及井滎輸經合之屬也用鍼者必精察之○詳此篇文義似有缺誤今且依此解之以俟知者

海藏天元圖七十四難曰從其首繫其数

肝

青 大敦井木 臊 曲泉水谷 酸 中封經金 呼 太衝土腧

泣 行間水滎

心

赤 少府火滎 焦 少衝木井 苦 少海水合 言 灵道金經

汗 神門土俞

脾 黄太白土俞 香大部火栄 苷隱白木井 歌陰陵泉水合 涎商丘金經

肺 白經渠金經 腥太渕土俞 辛魚際火栄 哭少商木井 涕尺澤水合

腎 黒陰谷水合 腐復溜金經 醎太谿土俞 呻然谷火栄 液湧泉木井

夫天元法者謂之五化疊元當從其首繫其数首者寅方春也在人為肝是從東方順天輪数至所主之處計從幾数𨚫於所受病一方倒疊囬去

数至依前数尽處便於受病一方穴內泻所主之方來路穴也不得於所主之方內經中瀉之勿誤　假令病者聞香臭二者心主五臭也入脾爲香臭從東数至所主之處所主五臭者心也東一南二計得二数却當於受病之方倒疊回去脾一心二元数二也是数至心心者榮火也當於受病之方內泻榮火是從脾經泻大都是也或曰何以倒疊数對曰此從地

出爲天輪所載右遷於天不當於所顯之處治之此舟行岸移之意也綱目八卷曰右天元圖乃海藏発明扁鵲七十四難之義但心腧五穴不合經旨按內經邪客篇言心臟堅固邪弗能容故手少陰獨無腧其外經病而臟不病者獨取其經於掌後鋭骨之端其餘脉出入屈折其行之徐疾皆如手少陰心主之脉行也馬註曰皆如手厥陰心包絡之脉行也云云

故諸邪之在心者皆在心之包絡也今圖中列心五邪曰赤焦苦言汗者皆當在心包絡所受而不列心包絡中衝勞宮太陵間使曲澤五穴及列手少陰少府少衝少海神門灵道五穴爲未得也

七十五難曰經言東方實西方虛瀉南方補北方何謂也然金木水火土當更相平東方木也西方金也木欲實金當平之火欲實水當平之土欲實木當平

之金欲實火當平之水欲實土當平之東方肝也則知肝實西方肺也則知肺虚瀉南方火補北方水南方火火者木之子也北方水水者木之母也水勝火子能令母實母能令子虚故瀉火補水欲令金不得平木也經曰不能治其虚何問其餘此之謂也本義有圖也

玉履曰余每讀至此未嘗不歎夫越人之得經旨也而憚夫後人之失經旨也先哲有言凡讀書不可先看註

解且將經文反覆而詳味之待自家
有新意却以註解參校庶乎經意昭
然而不為他說所蔽若先看註解則
被其說横吾胸中自家竟無新意矣
余平生佩服此訓所益甚多且如難
經此篇其言周備純正足以為萬世
法後人紛紛之論其可廢乎夫實則
瀉之虛則補之此常道也實則瀉其
子虛則補其母亦常道也人皆知之
今肝實肺虛乃不瀉肝而瀉心此則

人亦知之至於不補肺補脾而補腎此則人不能惟越人知之耳夫子能令母實母能令子虗以常情觀之則曰心火實致肝木亦實此子能令母實也脾土虗致肺金亦虗此母能令子虗也心火實固由自旺脾土虗乃由肝木制之法當瀉心補脾則肝肺皆平矣越人則不然其子能令母實子謂火母謂木固與常情無異其母能令子虗母謂水子謂木則與常情

不同矣故曰水者木之母也子能令母實一句言病曰也母能令子虛一句言治法其意蓋曰火為木之子子助其母使之過分而爲病矣今將何以處之惟有補水瀉火之治而已矣夫補水者何謂也蓋水爲木之母若補水之虛使力可勝火火勢退而木勢亦退此則母能虛子之義所謂不治之治也此虛字與精氣奪則虛之虛不同彼虛謂耗其真而致虛此虛謂抑其過而欲虛之也若曰不然則母能

令子虛一句將歸之於脾肺乎既歸於脾肺令何不補脾乎夫五行之道其所畏者畏所克耳今火大旺水大虧火何畏乎惟其無畏何愈旺而莫能制苟非滋水以求勝之孰能勝也水勝火三字此越人寓意處當細觀之勿輕忽也雖瀉火補水並言然其要又在於補水耳後人乃曰獨瀉火而不用補水又曰瀉火即是補水得不大違越人與經之意乎若果不用

補水經必不言補北方越人必不言補水矣雖然水不虛火獨暴旺者固不必補水水亦可也若先因水虛而致火旺者不補水可乎水虛火旺而不補水則藥至而暫息藥過而復作將積年累月無有窮已安能絕其根哉雖苦寒之藥通爲抑陽扶陰不過瀉火邪而已終非腎臟本藥不能以滋養北方之真陰也欲滋真陰捨地黃黃蘖之屬不可也且夫肝之實也其

因有二心助肝肝實之一因也肺不能制肝肝實之二因也肺之虛也其因亦有二心尅肺肺虛之一因也脾受肝尅而不能生肺肺虛之二因也今補水而瀉火火退則木氣削又金不受尅而制木東方不實矣金氣得平又土不受尅而生金西方不虛矣若以虛則補母言之肺虛則當補脾豈知肝勢正盛克土之深雖每日補脾安能敵其正盛之勢哉縱使土能

生金金受火尅亦所得不償所失矣此所以不補土而補水也或疑木旺補水恐水生木而木愈旺故閒獨瀉火不補水之論欣然而從之殊不知木已旺矣何待生乎況水之虛雖峻補而不能復其本氣安有餘力生木哉若能生木則能勝火矣或又謂補水者欲其不食於母也不食於母則金氣還矣豈知火尅金土不生金金之虛已極尚不能自給水雖欲食之

何所食乎若如此則金虚不由於火之尅土之不生而由於水之食耳豈理也哉縱水不食金金亦未必能復常也金不得平木一句多一不字所以瀉火補水者正欲使金得平木也不字當删去不能治其虚何問其餘虚指肺虚而言也瀉火補水使金自平此法之巧而妙者苟不能曉此法而不能治此虚則不須問其他必是無能之人矣故曰不能治其虚何問

其餘若夫上文所謂金木水火土更
相平之義不勞解而自明茲故不具
也夫越人亞聖也論至於此敢不歛
袵但恨說者之斁蝕之故辯

七十六難曰何謂補瀉當補之時何所
取氣當瀉之時何所置氣置捨置也與取字對也
然當補之時從衛取氣當瀉之時從榮
置氣

綱目七卷曰右以鍼之推內動伸分
補瀉也從衛取氣者謂淺內針待衛

氣至漸漸推內進至深也從榮置氣
者謂深內針待榮氣至却漸動伸退
至淺也蓋補者針入腠理得氣後漸
漸作三次推內進至分寸經所謂徐
內疾出世所謂一退三飛熱氣榮榮
者是也瀉者直針入分寸得氣後漸
漸作三次動伸退出腠理經所謂疾
內徐出世所謂一飛三退冷氣沉沉
者是也

其陽氣不足陰氣有餘當先補其陽而

後瀉其陰陰氣不足陽氣有餘當先補
其陰而後瀉其陽榮衛通行此其要也
本義曰補瀉法見下篇正指七十八難而言也
七十七難曰經言滑氏引靈樞逆順篇丹溪引四氣調神論上工治未病中工治已病者何謂也然
所謂治未病者見肝之病則知肝當傳
之與脾故先實其脾氣無令得受肝之
邪故曰治未病焉中工治已病者見肝
之病不曉相傳但一心治肝故曰治
已病也

丹溪曰或曰見肝之病先實其脾臟之虛則木邪不能傳見右頰之赤先瀉其肺經之熱則金邪不能盛此乃治未病之法今以順四時調養神志而為治未病者是何意邪蓋保身長全者所以為聖人之道治病十全者所以為上工術不治已病治未病之說著於四氣調神大論厥有旨哉昔黃帝與天師難疑荅問之書未嘗不以攝養為先始論乎天真次論乎調

神既以法於陰陽而繼之以調於四氣既曰食飲有節而又繼之以起居有常諄諄然以養生爲急務者意欲治未然之病無使至於已病難圖也厥後秦緩達乎此見晉侯病在膏肓語之曰不可爲也扁鵲明乎此視齊侯病至骨髓斷之曰不可救也噫惜齊晉之侯不知治未病之理○醫統亦曰春甫曰聖人治未病不治已病非謂已病而不治亦非謂已病而不能治

也蓋謂治未病在謹厥始防厥微以治之則成功多而受害少也惟治於始微之際則不至於已著而後治之亦自無已病而後治也今人治已病不治未病蓋謂病形未著不加慎防直待病勢已著而後求醫以治之則其微之不謹以至於著斯可見矣聖人起居動履罔不攝養有方間有幾微隱曖之疾必加意以防之用藥以治之聖人之治未病不治已病有如

此論語曰子之所慎齋疾戰釋云齋所以交神明誠至而神格疾爲身之生死所関戰爲国家存亡所係然此三慎誠爲最大而疾與乎其中得非以身爲至重耶康子具茱則曰未達不嘗可見聖人慎疾慎医之心至且尽矣世之人非惟不知治未病及至已病尚不知謹始初微畧恣意無忌禳成大患方急而求医曾不加擇惟以其風聞或薦其吹蒦委之狂愚卒

以自壞皆其平日慢不究心於医至於倉卒不暇擇請殊不知医藥人人所必用雖聖人有所不免顧在平昔謹求稔知其爲明医偶有微疾則速求之以藥治如反掌譬能曲突徙薪豈有焦頭爛額之誚丹溪論之亦詳矣甫之膚見尤有未悉之意焉續貂之誚誠所不免有志養生者擴而充之亦未必無小補云

七十八難曰鍼有補瀉何謂也然補瀉

之法非必呼吸出内鍼也
圖註曰用鍼之法有補有瀉補者呼内吸出瀉者吸内呼出補瀉之法非必呼吸出内鍼而已其要在於得氣出内之微餘見下文
綱目曰以迎隨分補瀉也之法有三以鍼頭迎隨經脉之往來一也又瀉子爲迎而奪之補母爲隨而濟之二也隨前法呼吸出納鍼亦名迎隨三也云云 愚竊案此三法皆以迎瀉隨補

為法也然右圖註義與此異也不審也雖素問鈔鍼刺篇亦詳之紛然而難言矣始闕如而俟知者耳今又按圖註義决而誤也

然知為鍼者信其左不知為鍼者信其右當刺之先以左手厭按所鍼榮俞之處彈而努之爪而下之其氣之來如動脉之狀順鍼而刺之得氣因推而內之是謂補動而伸之是謂瀉不得氣乃與男外女內不得氣是謂十死不治也

實曰凡補瀉非必呼吸出內而在乎手指何謂也故動搖進退搓盤彈撚指循捫攝按抓切者是也逐一有註見綱目七卷本義曰彈而努之鼓勇之也努讀若怒爪而下之掐之稍重皆欲致其氣之至也氣至指下如動脈之狀乃乘其至而刺之順猶循也乘也停針待氣氣至針動是得氣也內推針而內之是謂補動針而伸之是謂瀉此越人心法非呼吸出內者也是固然也

若停鍼候氣久而不至乃與男子則淺其鍼而候之衛氣之分女子則深其鍼而候之榮氣之分張世賢曰愚按男外女內即陽外陰內也勿作人之男女看是人之男女氣不至者不復浮沉以候之也男子止候於外女子止候於內此説未通○雖然靈樞終始篇分明作人之男女也知張氏之誤耳如此而又不得氣是謂其病終不可治也篇中前後二氣字不同不可不辯前言氣之來如動脉狀未刺之前左手所候之氣也後言得氣不得氣鍼下所候之氣也

此自兩節㊅於此下有折于周仲立之論今畧之者也宜考

七十九難曰經言迎而奪之安得無虚隨而濟之安得無實虚之與實若得若失實之與虚若有若無何謂也

圖註曰虚之與實灵樞曰為虚為實實之與虚灵樞曰言實與虚此與灵樞辞雖不同而意則一也灵樞小鍼解曰為虚與實若得若失者言補者佖然若有得也瀉者怳然若有失也言實與虚若有若無者言實者有氣

虛者無氣也馬註可考滑氏曰得求而獲也失縱也遺也

然迎而奪之者瀉其子也隨而濟之者補其母也假令心病瀉手心主俞是謂迎而奪之者也補手心主井是隨而濟之者也自假令已下當與六十六難並觀所謂實之與虛者牢濡之意也氣來實牢者爲得濡虛者爲失故曰若得若失也

丁德用注云凡欲行其補瀉即先候

其五藏之脉及所刺穴中如氣來實牢者可泻之虚濡者可補之若持鍼不能明其濡牢故若得若失也天錫言此難論補泻以平為期医工守之勿失其法若離其法補虚者而至於實牢則為得泻實者而至於濡虚則為失此為若得若失也據丁德用所注恐未中理

八十難

八十難曰經言有見如入有見如出者何謂也然所謂有見如入者謂左手見

氣來至乃內鍼鍼入見氣盡乃出鍼是謂有見如入有見如出也

圖註曰用鍼之妙隨氣而施凡欲內鍼必先以左手厭按所鍼之處彈而努之爪而下之使其該刺之所氣至若動脉之狀於是始內其鍼候其氣盡而後出鍼氣盡者即靈樞所謂已補而實已瀉而虛之類也如字即而字見說文

綱目七卷引右難而其註曰王註謂此法取有其經者未然見八十難

[灵]所謂氣至而有效者瀉則益虛虛者脉大如其故而不堅也堅如其故者適雖言快病未去也補則益實實者脉大如其故而益堅也大如其故而不堅者適雖言快病未去也故補則實瀉則虛痛雖不隨針病必衰去終始篇[素]刺虛者須其實刺實者須其虛針解云刺實須其虛者爲針陰氣隆至針下寒乃去針也刺虛須其實者爲針陽氣隆至針下熱乃去針也王註云要以氣至而有效也

八十一難曰經言無實實虛虛損不足

而益有餘是寸口脉耶抑病自有虚實耶其損益柰何然是病（二字非誤即衍見本義）非謂寸口脉也謂病自有虚實也假令肝實而肺虚肝者木也肺者金也金木當更相平當知金平木（若肺虚而補肺金則金當相平其肝木也七十五難所謂瀉南方補北方之治是也）假令肺實而肝虚微少氣（評林曰肝虚肝經微少氣也）用鍼不補其肝而反重實其肺故曰實實虚虚損不足而益有餘此者中工之所害也（中工中常之工猶言粗工也）

東坡先生楞伽經跋云如医之有難經句句皆理字字皆法後世達者神而明之如槃走珠如珠走槃無不可者若出新意而棄舊學以爲無用非愚無知則狂而已譬如俚俗医師不由經論直授藥方以之療病非不或中至於遇病輙應懸斷死生則與知經學古者不可同日語矣世人徒見其有一至之功或捷於古人曰謂難經不學而可豈不誤哉

難經捷徑下卷終

寬永十四丁丑年孟秋中旬
二条通觀音町
風月宗知刊行

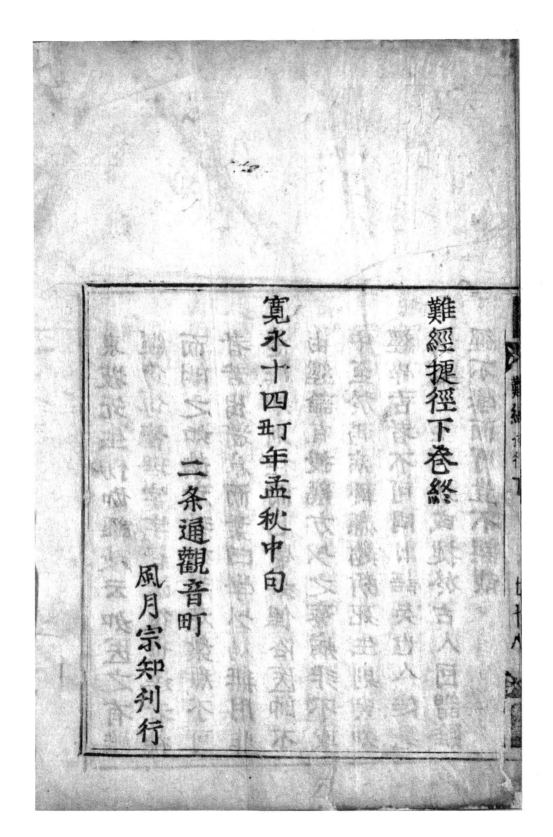

此難經捷徑者為李條庵玄由著述
京師書肆風月宗知為修字刊行
所也我文政元年寄陽為藏行時敦水
存澤所也風月堂故有之文政二年
卯ノ年我面謝及数回既及此書風
月主人云家關典ニ依テ述之風月書家
師經説九十四年丁丑至今文政三年
世經ル百廿四年

庚辰九月十一日　　卯ノ書坊
壹之堂水澤老兒

卯　週

海外漢文古醫籍精選叢書·第二輯

海上大成懶翁集成先天

（越）黎有卓　撰

内容提要

《海上大成懶翁集成先天》係越南鈔本醫書，專論先天水火，即腎中之水火。撰者遵從「命門爲一身之主」的基本理論，推崇八味丸、六味丸，立論獨樹一幟，特色鮮明。書中多引中國歷代醫學文獻，又根據撰者自己的臨證經驗，正其訛誤，逐條辨解，具有一定的理論研究和臨床運用價值。

一　作者與成書

《海上大成懶翁集成先天》未署撰者姓氏，但卷首所題書名中包含「海上懶翁」四字。筆者因此將此鈔本與越南著名醫家黎有卓（號海上懶翁）的刻本醫書《新鐫海上懶翁醫宗心領全帙》全文對照，發現其第五集「玄牝發微」與此鈔本關係密切，二者主體内容基本相同，且刻本較鈔本内容更加完善，繪圖更爲精細。由於刻本《新鐫海上懶翁醫宗心領全帙》刊於越南阮朝，正當翼宗阮福時統治時期，故全書均避「宗」「時」二字之諱，或将「宗」字缺筆作「宗」，或將「時」字改爲「辰」。但是，鈔本《海上大成懶翁集成先天》中無此二字的避諱現象。從全書不避「宗」「時」二字，又不如刻本完備的情况來看，鈔本《海上大成懶翁集成先天》當爲黎有卓（海上懶翁）醫書早期的手稿或傳抄之本，至阮朝期間經後人改編校勘，題名爲「玄牝發微」，收入《新鐫海上懶翁醫宗心領全帙》第五集之中刊刻行世。

黎有卓（Le Huu Trac，一七二四——一七九一），原名有誨，别名有薰，俗名招七，自號海上懶翁或懶翁，生於義安城德廣府香山縣（今越南河静省香山縣），是越南歷史上最爲著名的醫家，號稱「越南醫聖」。黎有卓幼時隨父赴京師升龍（今屬越南河内）求學，二十歲時因喪父而中途輟學，返回故里。黎有卓早年因身處戰亂時期，故拜師習得陰陽之術，并仗劍從戎。後因病求治於醫者陳讀，經其推薦，得閲中國明末清初馮兆張《馮氏錦囊秘録》一書，遂拜入陳讀之門研習醫學。黎有卓對馮兆張推崇備至，將其奉爲「紙上余師」，尊其爲「先正先師」。黎有卓繼而又深研《黄帝内經》，奉该書爲醫學根本，同時參考《馮氏錦囊秘録》、李梴《醫學入門》、張介賓《景岳全書》、趙獻可《醫貫》等醫籍，將其中的醫術施用於臨證診治，因多獲全效而遠近馳名。其後，黎有卓感於醫書冗雜繁多，易使學者誤入歧途，故融會百家醫著，加以自身實踐之體悟，集十餘年之功，終在後黎朝景興三十一年（一七七〇）完成巨著《海上醫宗心領》一書的編撰。

黎有卓在《海上醫宗心領》上梓之前辭世，其書早期僅以鈔本形式流傳，直至一七八九——一八八五年間，才由寺廟僧侣籌資，多方收集彙聚，并整理後刊刻行世，題名爲《新鐫海上懶翁醫宗心領全帙》。《海上大成懶翁集成先天》即爲該書中「玄牝發微」早期的手稿或傳抄之本。

二　主要内容

《海上大成懶翁集成先天》僅有一册一卷，專論「先天水火」，以「命門爲一身之主」，共收載醫論三十七篇。所述内容包括：「無極圖」「先天太極圖」「人身中先天太極圖」「先天根本論」「論命門爲一身之主」「評君心說」「水火立命論」「水火相須辨」「尊生救本論」「百病損傷皆由於腎論」「諸病求源論」「乙癸同源論」「相火龍雷辨」「龍爲陽物本是畏寒而升又何惡熱而走辨」「補藥得宜論」「化源論」「治法提綱」「製方合劑治療大旨」「藥論」「趙氏顛倒五行論」「張仲景製八味丸」「八味說」「八味功能」「八味加減」「八味所禁」「送八味丸」「補火更重熟地辨」「六味丸」「六味說」「六味變法」「先天虛證治療大旨」「先天真水真火無形虛實證辨」「水衰火虛治法」「滋陰降火論」「捫熱法并察外而知其内辨」「固本十補丸說」「增補先天合後天論」「河圖合洛書圖」。

筆者對照了鈔本《海上大成懶翁集成先天》與刻本《新鐫海上懶翁醫宗心領全帙》的第五集「玄牝發微」，發現兩者内容大致相同，但刻本將鈔本各篇的内容重新整合，新增或删减了部分内容，對某些篇目也做了一定的調整改動，使最後形成的篇名更加凝練準確。如鈔本中的「龍爲陽物本是畏寒而升又何惡熱而走辨」之題原來過於冗長，經調整後將相關内容整合到「相火龍雷論」中，使題與文内容更爲契合。

爲方便讀者對照，今將刻本各篇之目列載如下：「先天太極圖說」「人身中太極圖說」「先天論」「乾轉離圖說」「心腎相通論」「營衛清濁水火升降圖說」「肝腎同治論與補瀉法」「相火龍雷論」「君火相火辯」「先天後天火不同辯」「水火相須辯」「滋陰降火論」「水火神丹論」「先天真水實虛脉形症治法」「先天真火虛實脉形症治法」「先天虛證治療大旨」「捫熱法」「先天水火真藥」「八味丸」「八味功能」「八味方旨」「八味加減」「八味所禁」「八味丸湯送法」「八味變法」「六味丸」「六味功能」「六味方旨」「六味加減」「六味所禁」「六味丸湯送法」「六味變法」「合用最宜藥品」「百病兼治」「《錦囊》增損十二方」「《錦囊》八味治案」。

儘管刻本是經後人重新改編整合的，篇名也有了一些變化，但刻本與鈔本在行文、主旨内容的先後順序等方面仍是一致的，只是部分内容的詳略程度有所不同。例如：在「無極圖」「先天太極圖」後的解説中，刻本省略了鈔本中「愚按」之後的文字；此外，刻本較鈔本各篇普遍增補了雙行小字注文。同時，刻本中的「無極圖」「先天太極圖」「人身中先天太極圖」等篇插入的附圖經過改良，較鈔本更加精細，且圖周圍的文字標注更爲詳細。

三　特色與價值

《海上大成懶翁集成先天》立論獨具特色，并不拘泥於前人之説，而是遵從「命門爲一身之主」的思想，論述了「先天水火」的基本理論。懶翁在卷首「先天太極圖」中提出：「天地間胚胎胞卵，形化氣化，昆蟲草木，有覺有知，雖各稟一偏，然亦無非一點太極具在其中，而能化生爲形質也。況人身小天地，稟受先天之全體，具五行化育之功，豈非一點太極儼然先立爲發生之根本乎。」又在「龍爲陽物本是畏寒而升又何惡熱而走辨」篇提出：「一點太極，在命門居中。左邊一小黑圈，是真水之穴；右邊一小白圈，是相火之穴……相火與真陰真水，互爲其根。」在「人身中先天太極圖」篇的注解中亦言：「兩腎屬水，有陰水、陽水之分。命門屬火，居二陰之中。」同時，他還否定了「左主於腎，右偏於命門」之説。在「先天根本論」篇中，懶翁提出：人之生，胚胎未成而兩腎之元先立，而後化生其他臟腑，故腎爲臟腑之本。他在「論命門爲一身之主」篇中指出：命門爲一身之主宰，五臟六腑、四肢百骸，均以命門一點先天火氣爲其根本。爲了幫助説明抽象的先天水火，懶翁還附載「無極圖」「先天太極圖」「人身中先天太極圖」，以圖文并茂的方式，形象直觀地説明兩腎與命門的位置關係和真水、真火的互根互用關係。懶翁本於先天水火的理論，又遵從趙獻可的「顛倒五行論」，以水養火，水生金，於水中補土，升木以培土。

在疾病的病機理論方面，懶翁通過對「百病損傷皆由於腎論」一篇的闡述，主張：「人之百病，雖外因所襲，個個不同，然不過起病之端。及其損傷，終及於腎，百病皆根於腎。」在「諸病求源論」篇中他又分析：「水上火下，名之曰交。水火既濟，真陰真陽二氣充足，其人多壽；二氣衰弱，其人多夭；二氣和平，其人無病；二氣偏勝，其人多病；二氣絶滅，其人則死。」在「水火相須辨」篇中，懶翁否定「陽常有餘，陰常不足，滋陰降火」之説，遵從「無形之火，天也，非此火，不能化生萬物；人非此火，不能有身形百骸」。又在「相火龍雷辨」篇中云：「火有人火、相火之分。人火者，所謂燎源（原）之火……可以濕伏，可以水滅，可以直折，黄連之屬，可以制之；相火者，龍火也，雷火也，得濕則焫，遇水則焚。」若真水衰，則相火惡熱而走，命門之火畏寒而升，當以桂、附之屬治之。同時，懶翁遵從「虚爲百病之由，治虚爲去病之要」的理論，推崇從虚辨治。

在診斷方面，此書收載有獨具特色的切診——「捫熱法」。懶翁在「捫熱法并察外而知其内辨」篇中言：「凡内傷真陰虚者，以手捫之熱法有二：捫之烙手，骨中如炙者，腎中陰虚也；初捫之烙手，久按之，筋骨之下又覺寒者，腎中之陽虚也。」

在養生方面，此書亦載述了較多非藥物治療的養生之法。如懶翁提出，節欲、節勞，爲保養之神丹；貴息怒，宜戒酒、恬淡，最能益精；戒怒養陽，使先天之氣相生於無窮，乃攝生之切要。

在治則治法及方藥方面，懶翁以「壯水之主，以制陽光；益火之源，以消陰翳」爲原則，以水火爲本，氣血爲用，提出凡遇證之虛極，需「保北方以培生命」。他在「水火相須辨」一篇中强調：「如消渴者，火偏盛而水不能制也，要補水以配火；如冷腫者，水偏盛火不能制也，要補火以配水。不外乎救其偏而已。」懶翁極力推崇八味丸和六味丸，他在「水火立命論」中表達了自己對此二方的重視，認爲「其爲水火真陰真陽之寶者，惟仲景六、八味丸而已」。在本書三十七篇醫論中，懶翁特辟「張仲景製八味丸」「八味説」「八味功能」「八味加減」「八味所禁」「送八味丸」「六味丸」「六味説」和「六味變法」九篇，專門討論八味丸和六味丸，全面論述了二方的功用、方旨、加減和變方等問題。

懶翁所論八味丸即張仲景創製的腎氣丸（又名八味腎氣丸），出自《金匱要略》一書，由乾地黄、薯蕷、山茱萸、澤瀉、茯苓、牡丹皮、桂枝、附子八味藥物組成。該書中論述腎氣丸的條文共三條，張仲景用以治療婦人轉胞不得溺，男子消渴小便多，以及虛勞腰痛，少腹拘急，小便不利。

《海上大成懶翁集成先天》一書在張仲景的基礎上進一步發揮，對八味丸的論述更加詳盡。在「張仲景製八味丸」一篇中，懶翁載録了八味丸的組方及劑量，并注解方意爲：「熟地、山茱、山藥、牡丹、茯苓、澤瀉，皆濡潤之品，所以壯水之主，入以桂、附之物，辛甘陽氣，能於水中補火，所以益火之源，水火得於相養，腎氣復其天矣。」此篇所述八味丸的功用、主治主要有：久服多生子孫，治氣虛有痰、水泛爲痰，治脉耗而虛等。「八味功能」篇又在「疾病靡不由陰陽失調、水火偏勝」的指導思想下，進一步論説八味丸的主治功效，將此方用於中風、骨蒸伏熱、癆瘵、臌膈之患、燥澀、膈噎，而又認爲「人生百病，爲最重者，莫重於瘋癆臌膈……大症既已消弭，小病自難沉錮。」在「八味加減」篇，懶翁詳細論述了八味丸隨脉症變化的加減法。例如，其云：「按其脉右尺洪大，是真陰不足者，熟地可加；右尺細微，是真陽甚弱者，桂、附可加……陽盛陰虛煩躁者，桂、附可減……」雖有衆多加減之法，但懶翁更主張用八味丸原方，在「八味所禁」篇就闡述了「不可於八味丸中妄加他藥，以免腎經濡潤之品全失」之理。此書所載「以他湯送服八味丸」的服藥方法更是獨具特色，送服之湯不同，其功效也有差異。在「送八味丸」一篇中，懶翁依次論述了以淡鹽湯、米湯、白湯、燒酒、補中益氣湯、理中湯、生脉湯、人參老米湯送服八味丸之法。例如：「取淡鹽湯送者，鹽能潤下而軟堅，使虛火引而下之……以補中益氣湯送者，以舉元氣下陷之症，既欲固其根本，復慮走下太過，上虛下實，更提氣以升之，使三焦元氣常在也；以理中湯送下者，惟脾胃沉寒，先理中宮，使轉能下達也……」

懶翁所論六味丸即六味地黄丸，首見於宋代錢乙《小兒藥證直訣》一書，是錢乙在張仲景八味腎氣丸的基礎上，減去肉桂、附子二藥而成。錢乙用此方治療小兒腎怯失音、囟開不合、神不足、目中白睛多、面色㿠白等證。

在《海上大成懶翁集成先天》的「六味丸」篇中，懶翁將六味丸的功用範圍充分擴展，用其治腎虛作渴、小便淋瀝、氣壅痰涎、頭痛眩暈、眼花耳聾、咽燥舌乾、腰脚痿軟、腎虛發熱與自汗盜汗、便血咳血、水泛爲痰、血虛發熱、婦人血虛血涸等病證。在「六味變法」篇中，懶翁又收載了十二種加減法，包括六種「薛氏變法」，以及其他數種加減法。「薛氏變法」通過加減藥味變爲新的方劑，主要有：滋腎和肝飲、滋陰腎氣丸、人參補肺湯、加味地黄丸、九味地黄丸、益陰腎氣丸。

懶翁結合自己對八味丸、六味丸的研究和運用，對二方做了詳盡、全面的論述，擴充了兩方原有的功用範圍，使其臨床運用更加靈活、廣泛。此外，懶翁又通過加減變方和他湯送服，使方證對應更加準確、實用，值得中醫臨床參考、借鑒。

此書大量引用中國醫學與哲學經典《黄帝内經》《難經》《周易》中的理論，并徵引王太僕（王冰）、錢仲陽、劉河間、朱丹溪、趙獻可、馮兆張等醫家之言，取其精華，正其訛誤，增補己見。全書以《黄帝内經》《難經》的臟腑理論爲立論基礎，遵從中醫經典提出的「五臟六腑分屬十二官」以及臟腑生克制化等觀點。同時，其又對「心爲君主之官」提出不同的解説。在「評君心説」一篇中，懶翁引趙獻可《醫貫》之説强調腎的重要性。如其言：「趙氏《醫貫》一書謂身中别有一主，曰心也。證之《經》曰主不明則十二官危……至於栖身養息而爲生生化化之根，獨藏於兩腎之中，故重於腎。」懶翁在此基礎上進一步發揮，認爲「趙氏反復立論，是獨尊命門爲君主……腎主智，心主思，心之氣根於腎……則心爲之主而腎爲之根是也，由聖人在上而必以民爲邦本」。懶翁以命門之火、先天水火爲一身之根本，治病多以補益爲主，力求陰陽二氣平和，故不采劉河間、朱丹溪等醫家的滋陰、降火理論和純陰之用藥法則。書中遵從《周易》的天地宇宙自然觀，以人身爲一小天地，認爲兩腎和命門的關係正是「一陽陷入二陰之中」，符合北方坎卦之象，不取《難經》「左爲腎，右爲命門」之説，强調命門居於兩腎中間，不可偏右。

總之，懶翁對先天水火非常重視。一方面，懶翁學術思想的主體繼承了中醫經典和中國哲學思想；另一方面，懶翁又受到金元明醫學的影響，吸收了當時中國醫學的精華。同時，懶翁還有自己的學術主張，將中醫理論與越南的醫學實踐相結合。他在本書中詳細分析和探討了命門、真陰真陽等諸多問題。此外，懶翁還用大量篇幅，全面闡述了八味丸、六味丸二方的相關問題，具有較高的臨床參考價值。

四　版本情况

《海上大成懶翁集成先天》僅有一部鈔本，現藏於越南國家圖書館，本次影印即以此本爲底本。此本藏書號「R. 3196」，鈔本一册，全書以漢文撰成。四眼裝幀。未見書皮，無扉葉，卷首無序。目録兩葉半，書首題有「海上大成懶翁集成先天卷之」書名。四周無邊，無界格欄綫，無魚尾。天頭標有葉次。每半葉八行，行二十五至二十七字不等。正文墨書朱點。書末無跋。

綜上所述，《海上大成懶翁集成先天》論述先天水火，對命門、真陰真陽等持有獨到的見解；對八味丸、六味丸二方的闡發，具有一定的臨床指導意義。本次影印出版此書，一方面，希望爲國內學者拓寬臨證辨治思路提供有益的借鑒；另一方面，也希望爲研究越南傳統醫學，尤其是懶翁學術思想，探討中越傳統醫學的交流提供珍貴的資料。

管琳玉　蕭永芝

1 破愚

海上大成懶翁集成先天卷之

目錄

3

无極図　未分阴阳

無極圖　壹

太極図已分阴阳

太極圖　弍

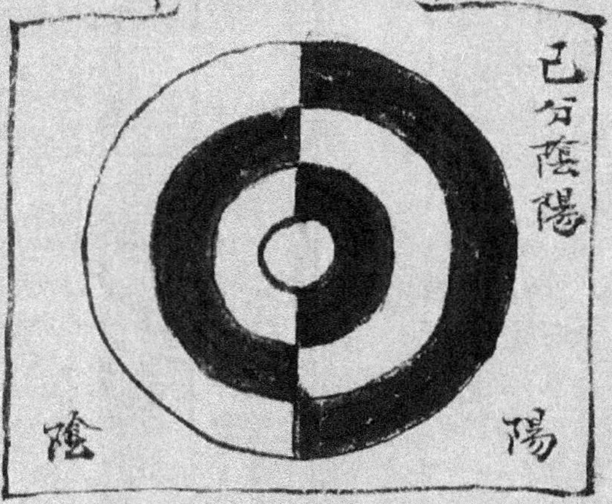

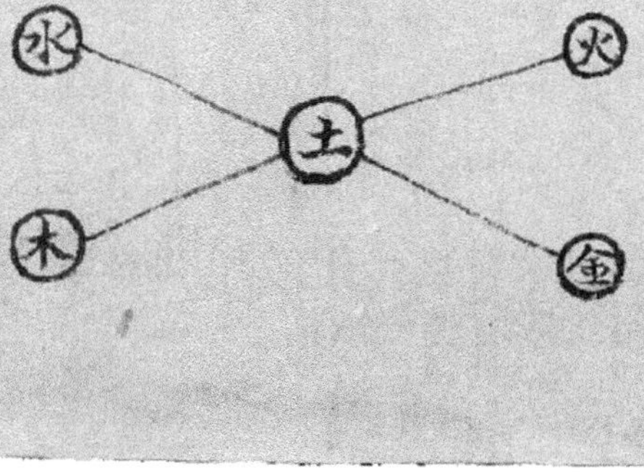

4

易曰有太極是生兩儀朱子惧人之不明而制為太極圖無極而化太極也蓋無極者未分之太極太極者已分之陰陽也一中分太極中之图形正太極之圓形也一則伏羲之奇一而圓之即是無極也或者問既曰先天太極天尚未生尽為無形何伏羲畫一奇朱子畫一圓又何涉於形迹耶曰此不得已而開示後學之意也蓋人身受天地之氣亦具有太極之形在人身之中可不心融貫會而知乎愚按天地間胚胎胞卵形化氣化昆虫草木有覺有知雖各稟一偏然亦無非一點太極具在其中而能化生為形質也况人身小天地稟受

先天之全体、具五行化育之功、豈非一点太極儼然先立、為發生之根本乎、自難經識語指命門寄居右腎為印定、後人眼目懵茫然、不知太極為何立命之本、將至尊至貴、閻置於何地也、古後章面諸賢迭出、革其弊、正其端、使養生司命者、知所鄭重、經曰遇症之虛、堅保坎方、以培生命、此明指太極是腎中無形矣、書云医家不知先天太極之形体、不究無形水火之妙用、而不知重用六八之神方、其於医理尚欠太半矣、旨哉仲景之立八味丸、猶兵家之立八陣也、鈎連藕絡、触處皆生、是方也、誠術生之至宝、保命之仙丹、

5

人之死裏求生，轉凶作吉，寧能外於此哉。

人身中先天太極之圖

三

人身中先天太極圖

人身中先天太極者，凡兩腎中皆屬水也，若其慵斆之訛言，以左為陰，右為陽，指其命門居右邊者，非也。蓋以命門在兩腎中附脊膂，形如紅豆相並，而一面外有黃脂包裹，裏白外黑，兩腎中一點白枚為陽，乃太極一半，兩腎中一點黑枚為陰，乃太極一半，兩腎在人身中合成一太極，命門對臍間合成附脊骨，自上數下十四椎，自下數上七椎，經曰：七節之旁，中有小心是也。故易象所謂一陽陷於二陰之中，以成坎卦也。左邊一腎屬陰水，右邊一腎屬陽水，二水均為有形之水可憂各開一寸五分，中間是命門所居之宮，即太極圖中間之白圈也。其右旁一小白竅即相火也即少火也元陽也其左旁一小黑竅即先天之眞水也即眞陰也元陰也培養相火若無此眞水則命門之眞陰氣亦衰矣此一水一火俱屬無形之氣其後天之水火不同相火稟於命門命門名天君無爲而治相火稟命代天行令三焦臣使之官又稟於相火而行眞水又隨相火而運用周流自寅至申行陽二十五度自酉至丑行陰二十五度日夜周流五臟六腑間以應刻數上行夾脊至腦爲髓海泄其津液注於脈以榮四末滯則痛息則死矣

按內經無命門之名命門始於越人三十六難經而曰腎有兩枚

謂左為腎、右為命門、男子藏精、女子繫胞之說者、夫以右腎繞精胞、則左腎之將藏何物、如男精女胞何独偏於右腎耶、蓋以命門居兩腎之中、而不偏於右也、為婦人子宮之門戶、子宮者腎臓藏精之府也、當關元氣海之間、男精女血皆聚於此、為先天真一之氣、則是坎中之真陽、為一身生化之原、在兩腎中間為一身之主、而不偏於右也、兩腎屬水、有陰水有陽水之分、命門屬火、居二陰之中、脉經以腎脉配兩尺、但當云左尺配真陰、右尺配真陽、而命門則為陽氣之根、隨三焦相火、以周流於右

足則可耳、若謂左主於腎、而右偏於命門者、此千古傳說之訛也、

四 先天根本論

夫玄黃未兆、天一之水先生、胚胎未成、兩腎之元先立、蓋嬰兒未生、先結胚胎、一莖直起、其象中空、形如蓮蕊、一莖即臍帶、蓮蕊即兩腎也、而孔褐（氤氲）一点元陽為之命門、寓其中焉、水生木而後肝成、木生火而後心成、火生土而後脾成、土生金而後肺成、五臟既成、六腑隨之、四肢乃具、百骸乃全、仙經曰、借問如何是玄牝、蓋嬰兒初生先生兩腎、是故身未成、而兩腎先有、故以腎為臟腑之本、十

二脉之根、呼吸之主、三焦之原、而人以為資始者也、故曰腎水者為先天之根本也、一点元陽則寓於兩腎之中、是為命門、蓋一陽陷於二陰之間、所以位乎北而成於坎也、人非此火、無以運行三焦、腐熟水穀、内經生氣仙經曰、兩腎中間一点陽、逆為丹田順為人火、[逆蒸腐 順呼精]夫竜潜海底、竜起而火隨之、蓋元陽藏於坎府、運用應於離宮、此人生之命根也、乃知陽火之根於地下、陰水之根源於天上、故曰水出高原、又曰火在水中、夫水火者乃陰陽之徵兆、天地之別名也、独陰不生、孤陽不長、天之用在地下、地之用在天上、則天地交通、水火混合而萬物生焉。古之至神，參腎為先天根本，故其脉曰人之有尺，猶樹之有根，雖枝葉枯槁，尚有根本，必自有生。傷寒危篤，寸口難稽，猶診太谿以卜腎氣，所決死生。夫精者，水之華也。神倚之如魚得水，氣依之如霧覆淵。神有所依倚，則物得之附麗，至如精竭，則神所散，芳之自然。嘗如嬰兒也，未知牝牡之合而勃然峻作，精之至也。純之全之，合於天得，源之清之，合於無淪。年十六而精滿，始能生子。精滅之後，乾（先天也）破而為離（後天也），真体已虧，不知節色，則百病虛起，不危何待。世人有採補固精之藥者，是大

不然、蓋男女交媾、必擾其腎、外雖未洩、精已離宮、及洩、真精
数点、陽随痿之而溢出、如火之焰烟、豈能復反其薪耶、是故貴
節慾為先戒、然損精傷腎、蓋非一端、若目勞於視、精以視耗、
耳勞於聽、精以聽耗、心勞於思、精以思耗、体勞於力、精以力耗、各
宜隨事而節之、則精與氣俱積矣、是故貴節勞為保養之
神丹、腎司閉藏、肝主疎洩、二臟相火繫之、皆属於心、經心者君
火也、凡怒傷肝而相火動、則疎洩者用事、而閉藏者不得其職、
雖不交合、精已暗耗矣、是故貴息怒矣、凡酒能動血、飲酒則

9

身面俱赤、是擾其血也、凡效月不近色、精已浮厚、一時酒醉、精隨薄矣、是故宜戒酒也、經曰精不足者補之以味、然膏粱之味未必生精、恬淡最能益精、洪範論味而曰稼穡作甘、世間之物惟五穀得味之正、澹食五穀大能養精、吳子野曰、芡實本溫平、不能大益人、謂之水中丹何也、曰人之食芡實必枚嚙而細嚼之、未有多嘬而急嚥者也、舌頰齒唇終日嚅囁、而芡無五味、腴而不膩、是以玉池轉相灌注、以積其功、雖適可也、以此知人能淡食而徐飽者、大有益於脾胃、經曰胃為水穀氣血之海、化榮衛而潤宗筋、又曰

31

陰陽統宗筋之會、而陽明爲之長、故胃强則腎充、而精氣旺、胃
病則精傷而陽事衰矣、靈樞曰生元來者謂之生精、此先天元生之
精也、素問曰食氣入胃、散精於五臟、此五穀日生之精也、然日生
之精、皆從元精所化、然後分布於諸臟、盈溢諸臟則輸之於腎
故曰五臟盛乃能瀉邪、若飲食之精、遇一臟有邪、則一臟之食味
化不全、不得與元精俱藏、而時自下矣、故腎之陰虛則精不藏、肝
之陽强則氣不固、若陰邪客於空竅、與所强之陽相感、則精脫而
外溢矣、陽强者非真陽之强也、乃肝之相火强矣、夫五臟俱有火、

10

惟相火寄於肝、善則發生、惡則為害、独甚於他火、凡陽氣統宗筋之所聚、人之入房强於作用者、皆陽氣充其力也、若其交接興陰氣合則三焦上下内外之火、翕然下從、百節玄府悉開、其資生之精、尽會於陽蹻出、豈止腎所藏者而已哉、有年老强健体精或問其故、曰愚嘗讀文選、曰石韞玉而山輝、水含珠而川媚、於斯二語、悟得体精之道、故足於精者、百病不生、窮於精者、諸邪蜂起、先哲洞窺根本、力勸固全、遇症之虛、亟保北方、以培生命、水不足者壯水之主、以鎮陽光、六味丸是也、火不足者、益火之源、以消陰翳、八味丸是也或只於年少方剛尺脈独實者微加炒知柏暫抑亢炎見平而徹去奈何昧者以為滋陰上劑救水神丹不確虛實拉概投之不知知母多則腸胃滑黄柏多則腸胃寒陰陽受賊何以化榮衛而润宗筋以啟髓竭精枯上嘔下泄而出潜沉冤之害此由河間謂有熱無寒之論丹溪謂陽常有餘之說貽害若此其烈矣乎故正餘云劉朱之言不息則軒岐之學不彰識斯道之大魔亦生民之厄運雖其言未免過激然亦補偏救弊之一片苦心哉

五 論命門為一身之主

命門爲一身之主宰、太極中無形之可見、有精有神、爲眞陽之宗
元氣之本也、兩腎之中是命元焉、命門無形之火、寓兩腎有形之
中、爲黃庭、故曰五臟之眞、惟腎爲根、曰命火、曰黃庭、曰竜火、曰陰火、
皆別稱也、以命門名之者、由命處乎中也、兩腎左右開闔、如門、
靜而闔、涵養乎一陰之眞水、動而開、鼓舞乎竜雷之相火、生生
不盡、上奉乎君心於無窮者、惟憑此眞陰眞陽二氣而已、褚齊
賢云、人之初生、受胎於任兆、惟命門先具、有命門然後生心、心生血、
有心然後生肺、肺生皮毛、有肺然後生肝、肝生筋、有肝然後生

脾、脾生肌肉有脾然後生腎、腎生骨髓有腎則告命門合二数具足、生腎有两岐也、大凡男交女媾之時、先有火會然後有、精聚、故曰火在水之先、人之稟生先於火氣、世謂父精母血非也、男女俱有火氣為先、但男子陽中有陰、以火為主、女子陰中有陽以精為主、謂陰精陽氣則可、男女合此二氣交聚然後成形、成形俱屬後天矣、後天者百骸具備、若無一点先天火氣、尽屬死灰、可見命門為十二經之主、腎無此則無以作強、技巧不能出矣、膀胱無此則三焦之氣不化、水道不能行矣、脾胃無此、則不能蒸腐水穀、而五味不出矣、肝膽無此、則將軍乃無決斷、而謀慮不出矣、大小腸無此、則變化不行、而二便俱閉矣、心無此、則神昏而萬事不能應矣、譬如元宵鰲山走馬燈、拜者舞者飛者走者、無不具、其中間、惟此一火耳、火旺則動速、火微則動遲、火熄則寂然不動、而拜者舞者飛者走者、軀殼形骸、未常存也、養生者的重以命門為一身之根本、而加意於火之一字焉、夫說立命之門、乃人身之至寶、治病者宜溫養此火為要、何昧者肆用苦寒以直滅真火、變天地春風化育之氣、為秋冬肅殺閉藏之机、安望其有生耶、夫命門爲先天君相之火、各相依而不相離也、若火之有餘緣眞水之不足、毫不可去火、只補水以配火、壯水之主以鎮陽光、若火之不足、因眞水之有餘、亦不宜瀉水、就於水中補火、益火之原以消陰翳、所謂原與主者、皆屬先天無形之妙用、非曰心爲火謂原在其肝、腎爲水而主屬乎肺、蓋心肝脾肺腎、皆屬後天有形之謂也、須以無形之火配無形之水、蓋探其原主之窟宅而求之、是謂同氣相求、則易入也、所謂知其要一言而終焉、若夫風寒暑濕燥火、六淫之邪感入人身、此客氣非主氣也，若主氣固塞，客氣何從而入者哉。奈何医者徒知客氣除之，漫不加意於主氣何哉。縱有言肺主氣者，專以脾胃爲能事，豈知坤土是離火所生（皆後天有形之火也），誰知艮土又屬坎水所化也（坎水水中之火以生脾土也）。

六 評君心説

愚按趙氏醫貫一書，謂身中別有一主曰心也，証之經曰主不明則十二官危，是心不能離乎十二官之中，此心亦官名也。倘以心爲君主，何云十二官危。且譬如朝廷皇極殿，是王者向明出治

十三

之所、乾清宮是王者向晦宴息之所也、指皇極殿而曰即位之君
身可乎、蓋元湯君主之所以為應事接物之用者、皆心上起
經綸、故以心為主、至於棲身養息而為生生化化之根、独藏
於兩腎之中、故尤重於腎、其實非腎亦非心也、竊以趙氏反覆
立論、独尊命門為君主、歷陳氣血之根、死生之關、人生之本、受
病之端、真假之象、闡發殆盡、清人之心、有功於世教、識不淺矣、
馮氏先生力非此說、有曰自古聖賢皆以心為君主、蓋以心為萬
物之靈、皆指此心之神明而言也、但腎主智、心主思、心之氣根

於腎、欲以入陰則心之通於腎、此水火不相離之謂也、若無元陽元陰其能之乎、則心為之主、而腎為之根是也、由聖人在上、而必以民為邦本、心與命門尊卑之級昭然矣、此愚觀之先儒此說、乃迺於執中之見、然趙氏之說亦不可泥、蓋官之一字、官者乃言十二官也、非所謂伏羲一奇也、指一字為官誤也、李何以伏羲一奇屬之歟、未得顯明所指、若稱心為君主之官、此是心之官司君主之用也、亦猶脾胃之官司倉庫之事、與肝之將軍、膽之中正、大小腸之傳送、膀胱之都州、三焦之運使者、各司其所本職以明化源之机、此君心乃職神明之用、豈說稱為君不可稱為官乎、況先哲立教垂言、恐後人之不明、特以人事比譬之耳、亦猶先天太極图、天上未生尽属無形、何為一奇一圈、又何渉於形迹耶、此不得已開示後人学者之意也、仙経曰借問如何是玄牝、曰嬰兒初生、先生两腎、未有此身、先有两腎、故腎為臓腑之本、十二脉之根、呼吸之主、三焦之源、而人之所賴為資始也、人若無此、則不能有生、又見身中臓腑表裏配合、則肺與大腸、心與小腸、心包絡與三焦、肝與膽、脾與胃、腎與膀胱者之配合、惟独命门無配者、誠理对之見、雖窮豈不別有一点明而為有生之祖耶、是指為君亦可、指為官亦可、蕩蕩混然一塊肉，要明理耳，亦可深求。辨君主之說，馮氏不若趙氏之詳。懶翁參訂甚是顯明。

七、水火立命論

夫人何以生？生於火也。人生於寅，寅者火焉，火者陽之体也。造化以陽為生之根，人生以火為命之門。儒者曰天開於子，水為元；医者曰人生於水，肾為元。孰知子為陽初也，肾為火藏也，陰生於陽，故水共火為対名。而火不共水為対体，其共水為対者，後天之火，離火也；其不共水為対者，先天之火，乾火也。夫乾陽之純也，夫陽火之主也，夫水火之源也。後天之火有形，而先天者無形。有形之火，水之所尅；無形

之火水之所生然取水者迎月之光而不迎其魄何也魄陰也而光
借於日則陽也水不生於水而生於火者明矣是故土蒸而潤膚
燠而澤釀醅而溢釜炊而汗丹砂硫磺之所蘊而蕩也水之生
於火也益信火生於水亦遠藏於水其藏於水也其象在坎一陽
陷於二陰之中而命门立焉蓋火也而腎寄之矣其生乎土也其
象在乾純陽立於離卦之先左旋而坎水出焉右旋而兑水納
焉蓋水也而陰陽之火則分而寄之矣此所謂後天中之先天也陽
生陰寄運於三焦水升火降所謂既濟故養生莫先於養火

此先天之火者非第火也人之所以立命者也故生人之本全在乎
斯奈近世之逝養生者並不究其由來惟知氣血則曰氣陽血陰惟
知臟腑則曰臟陰腑陽即知水火者不過離心坎腎而已孰知
氣血更有氣血之根陰陽更有眞陰眞陽之所水火更有眞水
眞火之原也凡暴病而卒死絕處而得生者皆在乎根本得之
非泥之在乎氣血間也奈何僅以氣血為陰陽陰陽為氣血而以
水火為心腎故用四物湯以補血調陰四君湯以補氣調陽坎離
丸以調心腎水火而其眞陰眞陽眞水眞火其為氣血之根者反

十六

不鄭重及之其用調理無非氣血而已卽調水火者無非辛温苦寒猶植樹者徒在枝葉修飭為事而不及乎根本豈有大補者哉故吾彥者能明氣血之根是水火也水火為眞陰眞陽之所如芎歸辛窜僅可調榮雖補眞陰眞水蓉术甘芪僅可調衛雖補眞陽眞火炮姜炙草僅可温中雖到腎經其為水火眞陰眞陽之宝者惟仲景六八味丸而已若不重用眞陰眞陽

凡四君四物以補眞陰眞陽者其不達水火立命之本之眞陰眞陽至理者也

之藥欲其求生者倘於医理之不明哲耳昔人云人受先天人之体有八尺之軀而不知医事者所謂遊魂耳雖有忠孝之心慈惠

之性、至如君父危困、赤子塗地、無以濟之、亦徒勞也、此謂先賢精思極論、盡其理矣、

水火相須辨

愚按水火者生人之本、神明之用也、水爲火之源、火爲水之主、源主宜平而不宜偏、宜交而不宜分、火性炎上、故宜使之下、水性就下、故宜使之上、水上火下、名之曰交、火即陽氣、水即陰精、二物配匹、名曰陰陽和平、亦名少火生氣、平即水火既濟、火即爲眞陽之氣、水即爲眞陰之精、及其偏也、則陽氣而爲火矣、少火與元氣勢不兩立而成

乖舛之象焉。故戴氏曰：莫治風，莫治燥，治得火時，風燥了。言苟能解此，則達陰陽水火之原，曲暢旁通，何施不可。正指火之變態多端，其為病也非一，明此則餘皆可辨。但水中無火，其寒虛極；寒極而亡陽，不知接養，縱肆情慾，以致陰虧水竭，而火偏勝，所謂陰不足則陽必湊之，要補真陰。然人稟不同，莫可膠柱。陽盛人補陰固宜，陰盛人補陽尤要。但陽從陰長，單滋陰藥，過傷胃氣，反絕後天生化之源。世人尊重滋陰，每謂人之一身水惟一腎而已，火則二者，乃謂陽常有餘，陰常不足，自少至老，所生病疾、靡不由真陰不足、又丹溪云一水不能五火、故諸病則見熱、五臟皆有火、經曰陽道盈陰道虛、此天地之大效、若止謂人身陽有餘陰不足非也、又云天包乎地易卦陽爻多陰爻少、補陰之藥不可一日間斷、其補陽之藥勸戒諄諄、殊不知純陰之藥、則得肅殺閉藏之氣、何有陽和化育之功哉、夫火有餘即邪火也、若真火薰衛形骸、灌溉臟腑、得之則生、喪之則病、失之則死、是真陽也氣也、豈有餘乎、若水之不足者乃男八八女七七、惟謂此時真陰已衰、故常不足也、若火與水為一身配匹正用、何常不足哉、倘失於調攝、則精枯血竭、潮熱痿弱而為真水不足、心火獨炎之病耳、如消渴者、火偏盛而水不能制也、要補水以配火、如冷腫者、水偏盛火不能制也、要補火以配水、不外乎救其偏而已、至如無形之火者、天非此火不能化生萬物、人非此火不能有生形骸、天之陽氣能交於下、地之陰氣能交於上、人之真火能藏於下、則真水能布於上、陽施陰化之象、克明、氣血平和之長日旺、蓋陰陽之中互藏其宅、陰中有陽、陽中有陰、故心火也而含赤液、腎水也而藏白氣、赤液為陰、白氣為陽、循環往復、晝夜不息、此常度也、苟不知攝養、縱恣情慾、虧損真陰陽無所附因而發越上升此火空則發之義是周身之氣併於陽也併於陽則陰愈虧由是上焦發熱咳嗽生痰迫血吐血頭痛煩燥胸前骨痛口乾舌苦五心煩熱潮熱骨蒸小便短赤此其候也久則孤陽不能独旺無根之火豈能長明經所謂壯火蝕氣氣亦弱矣而陽亦虛焉由是飲食不化泄瀉無度丹田不煖筋骨無力夢精精滑眩暈自汗卒倒僵仆此其候也然少陰臟中重在真陽陽不回則邪不去厥陰臟中職司藏血不養血則脉不起故治之者陽甚虛者則補陽以

生陰、陰甚虛者使陰從陽長也、陰甚虛者則補陰以配陽、使陽從陰化也、陰陽調和、百病消鮮、若以偏重或陰或陽執見、則不惟設藥而反增偏害之至矣、

九 尊生救本論篇

經曰、精神內守、病安從來、又曰邪之所湊、其正必虛、不治其虛、安問其餘、可見虛爲百病之由、治虛爲去病之要與、故風寒外感、表氣必虛、飲食內傷、中氣必弱、易感寒者、眞陽必虧、易傷熱者、眞陰必耗、正氣旺、雖有强邪、亦不能感、感亦必輕、故多無病、病亦易愈、正

氣弱者，雖微邪亦得易襲，襲則必重，故最多病，病亦難痊。治之者明此標本輕重之道，以報顧主逐客之方，則重者輕，而輕者愈。要知精神內長於中，邪氣自解於外；精神耗散於內，即我身之津液氣血無所主宰，皆可內起為火為痰，而成邪，豈是待外因所致哉。倘不知此，徒知或從表以發散，或從裏以尅消，現在已有之虛不為補救，未來無影之邪妄肆祛除，有是病者病從何妨，無是病者正氣益困，以致精神疲憊，性命昏沉，若不急為猛省，峻加挽救之功，何以續一息於垂絕之際，且諸病不論虛實，未有不發熱者、然此熱非從外來、即我身生生之少火有所熾而成壯熱、猶人偏稟和平之性、有所觸而為忿怒、不平之氣、如物之不得其平而鳴、鳴之者、即是物也、調之者和其物、則寧、非必去是物也、壯火者、少火變傷發洩之時也、忿怒者和性受傷乖變之際也、不為調之益之、反為攻之逐之、虛虛之禍、蔑不旋踵、故壯火即由少火之變、少火非火、乃丹田生生真元之陽氣、一呼一吸、賴以有生、即人之受胎先稟此命、經曰一息不運、則机緘窮、故此火也氣也、皆為無形有神有精而為生身之至寶、是真陽之宗也、元氣之本也、化生之源也長生之基也命門坎宮是其宅也蒸腐水穀化生精華得其平則安其位萬象泰然生生無窮失其平則離其位而為壯火反為元氣之賊浮遊乎三焦蒸爍乎臟腑炮熾乎肌肉而為痼疾不治此火則何以去病然欲去此火更何以得生只有因所因而調之安之從之撫之以平為已則火不去而安全無恙病既退而氣之元無傷則火原為我用之至寶矣況以有形無情之藥妄投有情無形之氣欲不受傷其可得乎但火空則發若不為填塞其空當可禦其乘空炎上之勢若欲火退而後補竟知火之為害

甚速、而與元氣勢不兩立、所謂壯火蝕氣、火熾氣日消亡、且火之為用、每挾風木之象、力窮乃止、止則火熄陽亡、脱症具備、方議補之、已無受補之具矣、倘稟受壯盛、或從寒涼折之而愈者、但病愈之後、必真氣漸衰、精神不長、即繼投溫補之劑、發生之勢日隆、後天之長反旺、故曰識得標只取本、治千人無一損是也、古人治病重於求本、故令人壽彌長、今人勿察其源、近從膚見、以寒治熱、以熱治寒、夫陰陽真假之象、正治從治之宜、顧本窮源之要、置之勿問、以致近害夭枉日多、凡司業者、可不潛心默旨者乎

十一 百病損傷皆由於腎論

愚按經云、知其要者一言而終、不知其要者流散無窮、言其要者求其本為要也、又曰小病必由氣血之所傷、大病必求水火之為害、凡充足空虛者氣血也、生化氣血者水火也、水火為生身之本、神明之用、故治病以水火為根、以氣血為用、世人徒知氣血為陰陽、水火為心腎、誰知氣血更有氣血之根、陰陽更有眞陰眞陽之所、水火更有眞水眞火之源、蓋先天如朝廷、後天如司道、執政在先天、布政在後天、又曰一身之政令、總在乎命門、命門為北辰之樞、司陰陽之柄、此又見人之百病、雖外因所襲、箇々不同、然不過起病之端、及其損傷終及於腎、書云百病皆根於腎者也、景岳云、陽邪之至害必歸於陰、五臟之傷窮必及腎、信不誣矣、且身中一圈太極、即腎中一点命門、夫說曰命門乃立命之門、為一身之本、求其長生者、當加意於二字、若人無一先天火氣、盡屬死灰矣、医貫云、命門為十二經之主、腎之作強、膀胱之施化、脾胃之蒸腐、肝胆之決斷、大小腸之傳送、心之神明、肺之治節、倘無此者、則百職俱廢矣、至哉、臟腑之功能到底終不越乎命門一点真陽之火氣、人之病症傳变多端豈能外乎根本者哉凡治大病而舍水火真緣木求魚其可得乎誠百病論辨之中惟兩腎總要之耳至如病症之最重無如瘋癆膨膈盖真火固丹田則虚風何從驟起進甘温滋精血則勞熱何地可容真氣既充氣血自長則運用如常中滿膨膈更無慮矣釜下有火游溢精氣水精四布燥涎之膈噎何患之哉説此深重之病只憑火氣猶可挽生況常病雜傷奚難頓釋醫貫譬之鷩山走馬燈誠適真之妙言也余自悟得先天太極之真体深知無形水火之妙用而重用六味八味之藥實

起沉痾易如反掌，反無形之異病，雖名之假症，全不齊頤支離，惟以水火之方而報之，無不氷消瓦解。如此想百病之積傷，無不歸根於腎也明矣。先師曰以治一病之法，審通可貫百病，究竟根本猶治夫百一病，願後賢同志於仁壽者，奉此真言，抑作医家之關鍵，則活人之討無餘蘊矣。

十二 諸病求源論

人之初生，先有两腎，漸及臟腑，五臟内備，各得其職，五象外布而成五官，爲筋爲骨爲肌肉皮毛耳目口鼻軀殼形骸，然究其原皆此一点精氣神迴變而汚成之也，猶之混沌未分，純一水也。水之汚成處為土、為石、為金，皆此一處化源，故水為萬物之原，土為萬物之母。然無陽則陰無以生，故生人之本，火在水之先也；無陰則陽無以化，故生人之本，水清火之次也。經所謂陽生陰長，而火更為萬物之父者此耳。是以維持一身，長養百骸者，臟腑之精氣主之；充足臟腑，固住元氣者，兩腎主之。其為兩腎之用，生生不盡，上奉無窮者，惟此真陰真陽二氣而已。二氣充足，其人多壽；二氣衰弱，其人多夭；二氣和平，其人無病；二氣偏勝，其人多病；二氣絕滅，其人則死。可

見真陰真陽者、所以為先天之本、後天之命、兩腎之根、疾病安危
皆在乎此。学者僅知外襲、而不知乘乎内虛、僅知治邪、而不知調
其本氣、僅知調本氣、而不知究其臟腑、僅知臟腑、而不知根乎兩
腎、即知兩腎、而不知由乎二氣、是尚未見求本者也、何況僅以軀
殼為事、頭痛救頭、脚痛救脚、而不知頭脚之根在臟腑者、何以
掌司命之任、而体好生之道歟、眞猶緣木求魚者也。故先哲曰、見
痰休治痰、見血休治血、無汗不發汗、有熱莫攻熱、喘生無降氣、遺
精勿濇泄、明得箇中趣、方是医中傑、眞求本之謂也、

十二 乙癸同源論

古稱乙癸同源肝腎同治其說維何蓋火分君相君火者居乎上而主靜相火者處乎下而主動君火惟一心主是也相火有二乃腎與肝腎應北方壬癸於卦爲坎於象爲龍龍潛海底龍起而火隨之肝應東方甲乙於卦爲震於象爲雷雷藏澤中雷起而火隨之澤也海也莫非水也莫非下也故曰乙癸同源東方之木無虛不可補補腎即所以補肝北方之水無實不可瀉瀉腎即所以瀉肝至於春升龍不現則雷無聲及其秋降雷未收則龍不藏但

二十五

使竜歸海底、必無發越之雷、但使雷藏澤中、必無飛騰之竜、故曰肝腎同治、東方者天地之春也、句萌甲㭊、氣滿乾坤、在人為怒、怒則氣上、而居七情之升、在天為風、風則氣鼓、而為百病之長、怒而補之、將逆而有壅絶之憂、風而補之、將滿而有脹洞之患矣、北方者天地之冬也、草黄木落、六宇蕭條、在人為恐、恐則氣下、而居七情之降、在天為寒、寒則氣降、而為萬象之衰、恐而瀉之、將怯而有顛仆之虞、寒而瀉之、將空而有涸竭之害矣、然木既無虛、又言補肝者、肝氣不可犯、肝血自當養也、血不足者濡之、水之属也、壯水之源、木

26

賴以榮水既無實、又言瀉腎者、腎陰不可瀉而腎氣不可亢也、氣
有餘者伐之、木之康也、伐木之幹、水賴以安、夫一補一泄、氣血攸分、即
瀉即補、水木同府、總之相火易上、身中所苦、瀉木所以降氣、補
水所以制火、氣即火、火即氣、同物而異名也、故知氣有餘便是火者、
愈知乙癸同源之義矣、然時醫多執肝常有餘之說、挈手便云平
肝、殊不思經曰東方木也、萬物所以始生、星滑經曰四時之所化始于
木、十二經之所養始于春、女子受娠一月是厥陰肝經養之、肝者乃
春陽發動之始、生化之源、故戒怒養陽、使先天之氣相生於無窮、

是攝生之切要也。蓋春屬肝木，乃吾身升生之氣也。此氣若有不充，則四臟何以稟承。如春無所生，則夏長秋收冬藏者，將何物乎。五行之中，惟木有發榮暢茂之象，水火金土皆無是也。使天地無木，則世界黯淡，其無色也。夫培之養之，猶恐不暇，而何欲剪之伐之乎。故養血和肝，使火不上炎，則心氣和平，而百骸皆理。況腎主閉藏，肝主疏泄，是一開一闔也。俗云肝有瀉無補，不知六味地黃丸、七宝美髯須丹之劑，皆補肝之藥也。人特留而不察耳。

十三　相火龍雷辨

火有人火相火之分人火者所謂燎源之灾也遇草則熱得木而焚遇冬蓋熾可以濕伏可以水滅可以直折黃連之屬可以制之相火者龍火也雷火也得濕則焫遇水則焚不知其性而以水濕之以寒攻之適足以炎焰燭天物窮方止矣識其性者桂附之類以火逐之則焰爍是消元炎自退古云瀉火之法蓋意如此今人率以黃柏治相火殊不知相火者寄於肝腎之間此乃水中之火也龍雷之火也如用黃柏苦寒之藥又以水滅濕伏龍雷之炎愈熾矣龍雷之火每當驟陰驟雨之時陰火方張或擊碎木石或燒燬家屋其勢不可抗

二十七

惟得太陽一点光明則竜雷之火自滅此得水則焚得火則滅之
驗也又問竜雷何以五六月而啓發九十月而帰藏蓋冬時陽氣
在水土之下竜雷純其火性而帰之下夏時陰氣在下竜雷不得
安其身而升於上是故明知此義用八味丸有桂附與竜火同氣
直入腎中拠其窟宅而招之同氣相求安得不引而帰耶人身
此火不能有生世人皆曰竜（降）火而余独以地黄丸滋養水中之火世人
皆曰滅火而余独以桂附温天真之火由千載不明之論余独表而出
之顧高明之士以為何如哉

28

十四 龍之為物本是畏寒而升又何患熱而走辨 命门火是眞火也 右白竅是相火也

愚按書云龍者火也火性熱夏至一陰生水底冷而天上熱竜為陽物故隨陽而上升而竜雷振作是也冬至一陽生水泉温而天上寒故竜亦隨陽而下伏而雷始收声人身腎中相火亦由是也其人平日不能節慾以致命門火衰腎中陰盛竜無藏身之地故遊於上而不歸是以上焦煩熱諸症見矣善治者以八味丸温其窟宅而引之歸源借行秋冬伏陰之令而竜歸大海此至理矣無異議者又書云陰虛火旺之症乃腎中眞陰虧損眞水枯乾故相火上炎

17

善治者補水以配火用六味丸壯水以鎮陽光而火自息較之前甚可乎矣既曰陰虛火旺是無水也此時則腎純熱也前言以相火為竜則竜得熱同類相求必貪於榮旺去其虛宅乃悪熱而走上浮豈是一竜也有時畏寒而升又時悪熱而走之理耶或人以相火爲中亦猶是也之一句使人妄指相火為竜火之不辨故也余初年讀水火論每以此檣木於腹中浪花泡影久矣及閲日玩内経図説見丁点太極在命門居中左邉一小黒圈是真水之穴右邉一小白圈是相火之穴始得深悟其旨且曰命門為君主乃一身之太極無形

可見兩腎之中是命完也如天君無爲而治右腎乃相火無形之火即少火也猶如宰相代天行化三焦稟是臣使啣命而行周流於五臟六腑之間而不息也左腎乃眞陰眞水無形之水也上行於脊至腦中髓海泄其津液注之於脉以榮四末内注五臟六腑以應刻數附相火潛行於身中相火與眞陰眞水互爲其根水爲火主火爲水源可相合不可相離要均秤不宜偏勝猶如天秤之秤此重則彼輕若見水之不足故見火之有餘火之有餘緣眞水之不足凡書云眞陽曰元陽乃命門之別名也前言腎中陰盛竜

畏寒而上升乃指命門而言也非右腎相火也倘不以命门為竜火何書云補命門以桂附非以苓朮也後言水衰則火炎乃天秤不得均稱而偏勝此指真水共相火而言非謂命门竜火也豈非一火以味温腎而引歸一火以六味滋腎而配養者哉第以治火玄微註解徒以繁文不能辨析使学者多岐而有鹿馬之誤嗟夫釋書取義非難以辨理為難然辨理非難明得於理外之雜見為最難者也

十五 補藥得宜論

大虛者宜補然有不受補者乃補之不得其當也必須憑脉用藥

不可問病執方、六脉一部或大或小之間、便有生尅勝負之别、一方分兩或加或減之中、便存重此輕彼之殊、脉有真假、藥有逆從、假如六脉洪大有力者、是真陰不足也、六味地黄湯、右寸更洪更大者、麥味地黄湯、如洪大而数者、人謂陰虚陽盛、而用知柏地黄湯、則誤矣、如果陽盛、則當済其陽光之盛、資始資生、而致脉有神、疾徐得次、以循其常經矣、惟其真陽不足、假陽乘之、如天日不彰、而乃龍雷之火妄熾、疾乱変常也、宜六味加五味肉桂、助天日之陽光、逐龍雷之假火、至若弦数細数、則更係真陰真陽虧損、便當重用六味、少加桂

三十

附以火消火，須既可從，承乃可制，火既制而陰易長矣，况脉之微緩中和，胃之氣也，不微而弦大，不緩而洪数，近乎無胃，用此既補真陽以息假陽，復借真火而保脾土，此補腎中真陰真陽之至論也，更有勞心運用太過，飢飽勞役失調，以致後天心脾氣血虧損者，設以根本為論，徒事補腎，則元氣反随下陷，化源既絶於上，腎氣何由独足於下，縱下實而上更虚矣，理宜六脉洪大無力者，此中氣不足，營陰有虧而失收攝元氣之用，宜於温補氣血之中加以斂納之味，宜養營湯用五味，更宜減去陳皮是也，六脉沉細無力者，此元陽中氣大虛、最宜培補中州、溫補氣血、益脾胃、既為氣血之化源、而萬物之資生、亦必仗運行而始得、故古方諸劑必用姜棗、即此義也。況中氣既虛、運行不健、故用辛溫鼓舞、使藥力自行、藥力不勞於脾胃之轉輸、如歸脾湯之用木香、十全湯之用肉桂、是也。如六脈遲緩甚微者、則元陽甚虛、純以挽救陽氣為主、輕則人參理中湯、重則附子理中湯、不得襍一陰分之藥、益陽可生陰、陰能化陽耳。如六脈細數、久按無神者、此先天後天之陰陽並虧也、早服八味地黃丸、晚服人參養榮湯去陳皮、或十全大補湯去川芎、生地換熟地可也。如

兩寸洪大兩尺無力者，此上熱下寒，上盛下虛也，宜八味地黃丸加牛必五
味，服至寸尺俱平，則照前方另煎參湯沖服，如兩尺有力兩寸甚弱
者，此元氣下陷，下實上虛也，宜補中湯升舉之，地氣上升，天必下降，二
氣交通，乃成雨露，此氣行而生氣不竭矣，先天之陽虛補命門，後天之
陽虛溫胃氣，先天之陰虛補腎水，後天之陰虛補心脾，蓋心為血
之主，肝為血之藏也，然更重乎太陰，蓋脾者，榮之本，化源之基，血之
統也，且一方之中，其脉有宜有禁，宜者加之，禁者去之，如應用十全
大補湯，而肺脉洪大者，則芎芪應去，而麥味應加者也，蓋芎味

辛而升，芪味雖甘而氣厚於味，故功專脾肺而走表也。六脉無力則十全最宜，倘無力服參者，則芪术倍加，止用當歸，勿用地芍，蓋重於補氣，則歸為陰中之陽，地芍乃陰中之陰耳。至於地黄一湯，依脉輕重變化，百病俱見神功，但脉見沉微，亡陽之症，暫所忌之。雖有桂附終為佐使，而地茱一隊陰藥，乃係君臣，何能消陰翳而挽暴亡也。張姑取效端，以證變化之無盡也，學者須推自得神效。至如虛證將脫者，補而還須接，所言補接二字，書未講明，蓋脫者一來時時可挽，今用大補之劑，挽回收攝，若藥力少緩，則脫者便來，故峻補之藥必須接續日夜勿間斷也使元氣漸生於中藥餌方可少緩於外虛病受得淺者根本壯盛者還元必快衰敗者還元自遲必須補足不可中止工夫一到諸候霍然向來所有之病大病内可除何來不足之軀大病内可壯故人可求無病病中可去病病後可知調理撙節可也

十六 化源論

夫不取化源而逐病求療者猶草木將萎枝葉踡攣不知固其根蒂壯其本原而但潤其枝葉雖欲不槁何可得也内經曰資其化源

又曰治病必求其本、又曰諸寒之而熱者取之陰、熱之而寒者取之陽、所
謂求其屬也、垂訓諄諄、光如日月、無非專重源本耳、如脾土虛者溫
煖以益火之源、肝木虛者濡潤以壯水之主、肺金虛者甘緩以培土之
基、心火虛者酸收以滋水之宰、腎水虛者辛潤以保金之宗、此治
虛之本也、木欲實金當平之、火欲實水當平之、土欲實木當平之、金
欲實火當平之、水欲實土當平之、此治實之本也、金為火制、瀉心在
保肺之先、木受金殘、平肺在補肝之先、土當木賊、損肝在生脾之先、
水被土乘、清脾在滋腎之先、火承水制、抑腎在養心之先、此治邪之本

也、金太過則木不勝而金亦虛、火來爲母復讐、木太過則土不勝而木亦虛、金來爲母復讐、水太過則火不勝而水亦虛、土來爲母復讐、火太過則金不勝而火亦虛、水來爲母復讐也、皆亢而承制、法當平其所復、扶其不勝、經曰無翼其勝、無贊其復、此治復之本也、至於陰陽生尅虛實眞假、意会無窮、雖可言盡、即六淫易者、如風兼寒、當從温散、兼熱當從辛凉、寒独寒當温補、兼湿當從温滲、中暑當從清解、傷暑氣當兼益氣、濕外受當從發散、內傷當從燥湿、湿寒温散、湿熱清利、燥本稿枯之象、太半、火爍金水受傷、然亦有陰寒太過津液收藏、從肅殺凜烈之後、陽和之水皆成堅冰燥裂矣、火之原原在水中、而與元氣勢不兩立、故有火者必元氣傷者半、陰水虧者半、正治益熾、從治乃息、惟驟受外邪者暫行清利也、但六淫皆爲客氣、未有不兼內傷、傷多傷少、氣實氣虛、標本既明、輕重乃別、斯無誤矣、況醫司人命、可不慎歟、

十七 治法提綱

夫治病者當知標本、以身論之、內爲本、外爲標、氣爲本、血爲標、六腑屬陽爲標、五臟屬陰爲本、臟腑在內爲本、十二經絡在外爲標、

以病論之人之元氣爲本病之邪氣爲標先受病機爲本後傳病症爲標故治病必求其原而先治其本古聖之論但急則治其標緩則因其本後哲之變通然病在於陰毋犯其陽病在於陽毋犯其陰犯之者是謂誅伐無過病之熱者當察其源火果實者苦寒鹹寒以折之若其虛也甘寒酸寒以攝之病之寒者亦察其源寒從外也辛熱辛溫以散之動於內也甘溫以益之辛熱辛溫以佐之經曰五臟者藏精氣而不瀉也故曰滿而不能實是有補而無瀉者此其常也臟偶受邪則瀉其邪邪盡即止是瀉其邪

非瀉臟也臟不受邪毋輕犯也世謂肝無補法知其謬也六腑者傳
導化物糟粕者也故曰實而不滿邪客之爲病乃可攻也中病乃
已毋盡劑也病在於經則治其經病流於絡則反於絡經直絡
横相維輔也病從氣分則治其氣虛者溫之實則調之病從血分
則治其血虛則補肝補脾補心實則爲熱爲瘀熱者清之瘀者
行之因氣病而反血者先治其氣因血病而反氣者先治其血因症
互異宜精別之如腹脹由於濕者其來必速當利水除濕則脹自
止是標急於本也當先治其標若因脾虛漸成脹滿夜劇晝靜

病屬於陰當補脾陰夜靜晝劇病屬於陽當益脾氣是病從本
生、本急於標也當先治其本、舉一為例、餘可以類推矣、病屬於虛須
治以緩、虛者精氣奪也若屬沉痼亦必緩治、宜有次第、如家貧
年久室內空虛非旦夕間事也、病屬於實宜治以急、實者邪氣勝也
邪不速逐、則為害滋蔓、故治實無遲法、亦無巧法、如寇盜在家宜
開門急逐、即安、此病機緩急一定之法也、故新病陰陽相乘、補偏救
弊宜用其偏、久病者陰陽相入、扶元養正宜用其平、若久病而誤以
重藥投之、徒增其竭絕耳、夫元氣不足者須用甘溫之劑補之、如陽

36

春一至生機勃勃也、元氣不足而至於過極者、所謂大虛必挾寒、須以辛熱之劑補之、如時際炎蒸、生氣暢遂也、熱氣有餘者、須以甘涼之劑清之、如涼秋一至、燀燔如失也、邪氣盛滿而至於過極者、所謂高者抑之、須以苦寒之劑瀉之、如時值隆冬、陽氣潛藏也、故凡溫熱之劑均爲補虛、寒涼之劑均爲瀉實、然元氣既虛、但有秋冬肅殺之氣、獨少春夏生長之機、虛則不免於熱、倘不察虛實、使以寒涼之劑投之、是病方肅殺、而醫復肅殺之矣、其能久乎

十八、制方和劑治療大法

靈樞曰人之氣血所以奉生而周於性命者也經曰邪之所湊其氣必虛凡言虛者精氣奪也凡言實者邪氣勝也是故虛則受邪邪客邪為實經曰邪氣盛則實精氣奪則虛者此耳倘邪重於本則以瀉為補是瀉中有補也本重於邪則以補為瀉是補中有瀉也且升降病机之要括也故升為春氣為風化為木象故升有散之之義降為秋氣為燥化為金象故降有歛之之義如飲食勞倦則陽氣下陷宜升陽益氣瀉痢不止宜升陽益胃鬱火內伏宜升陽散火因濕洞泄宜升陽除濕此須宜升之之義也如陰虛則水不足以制火火空則發而炎上

其為症也欬嗽多痰吐血鼻衄頭疼齒痛口苦舌乾骨蒸寒熱是謂上熱下虛之候宜用麥門貝母枇杷葉白芍牛膝五味之屬以降氣氣降則火自降而氣自歸元更又益之以滋水添精之藥以救其本則諸症自瘳此須宜降之之義也更有塞因塞用者如脾虛中焦作脹腎虛氣不歸源以致上焦逆滿用人參之甘以補元氣五味之酸以收虛氣則脾得健運而脹自消腎得斂藏而氣自降上焦清泰而逆滿自平矣如通因通用者傷寒挾熱下利者或中有燥糞必用調胃承氣湯乃安傷暑滯下不休者得六一散清熱除積乃愈然治熱以寒

治寒以熱，此正治也。如熱病而反用熱攻，寒病而反行涼劑，乃從治也。蓋声不同不相應，氣不同不相合。大寒大熱之病，必能與異氣相拒。善治乃反其佐，以同其氣，復令寒熱參合，使其始同終異也。如熱在下，而上有寒邪拒格，則寒藥中入熱藥爲佐。内經曰：若調寒熱之逆，冷熱必行，則熱藥冷服，下膈之後，冷体既消，熱性隨發。如寒在下，而上有浮火拒格，則熱藥中入寒藥爲佐，下膈之後，熱氣既散，寒性隨發，情且不違，而致大益，病氣隨愈，嘔熱皆除。此謂寒因熱用，熱因寒用，使同声易於相應，同氣易於相

38

合而無非格之患、經曰必先其主而伏其所因也、譬之人火可以湿伏、
可以水滅、病之小者似之、大者則若竜雷之火、逢湿則燄、見水則
燔、太陽一照、火即自息、此至理也、用熱遠熱者、是病本於寒、法
應熱治、投熱劑僅使中病、毋令過焉、過則反生熱病矣、用寒
遠寒者、其病本熱、法應寒治、所投寒劑、僅使中病、毋令過焉、
過則反生寒病矣、故益陰宜遠苦寒、免傷胃氣、益陽宜遠
辛散、免泄元氣、祛風勿過燥、清暑毋輕下、産後忌寒涼、滯
下勿斂澁、然天地四時之氣、行乎六合之間、人處氣交之中、亦

必因之而感、春溫夏熱元氣外洩、藥宜養陰以保陰精之不足
秋涼冬寒陽氣潛藏、勿宜開通、藥宜養陽以固陽氣之溫和
此藥之因時制宜補不足以和其氣者也、然既戒勿伐天和、而又防
其太過、所以体天地之大德也、夏月伏陰、冬月伏陽、推而順之可知
矣、然一氣之中、初同末異、一日之內、寒燠迥殊、且有乖戾變常
之時、大暑之候而得寒症、大寒之候而得熱症、症重於時則
舍時從症、時重於症則舍症從時、六氣太過為六淫、六淫致
疾為客病、以其天之氣從外而入也、七情動中為主病、以其人

39

之氣從內而起也此用藥權衡主治之大法萬世遵守之常經雖
聖神復起莫可變更也然有性稟偏陰偏陽又當從法外之治
假如性偏陰虛雖當隆冬隆陰精耗竭水既不足不能制火
陽無所依外洩為熱或反汗出藥宜滋陰設從時令誤用辛
溫苦必立斃假如性偏陽虛雖當盛夏陽氣不足不能外衛
其表表虛不任風寒灑淅戰慄思得熱食及御重裘是雖
天令之熱亦不足敵真陽之虛病屬虛寒亦宜溫補設從
時令誤用苦寒亦必立斃故變通合宜之用存乎其人設使

病宜用熱亦當先之以溫病當用寒亦當先之以清縱有積滯宜消必須先養胃氣縱有邪氣宜祛必須隨時踈散不得過劑以損傷氣血氣血者人之所賴以生也氣血充盈則百邪外禦病安從來氣血一虧則諸邪輻輳百病叢生世人之病十有九虛醫師之藥百無一補豈知用藥之誤則實者虛而虛者死是死於藥而非死於病也且古人立方既有照膽之明識復盡活人之苦心有是病方下是藥分兩多藥味寡譬如動兵專走一路則足以破壘拾生矣後人既無前賢之識見徒有應世之游

40

移，分兩減而藥味多，譬如廣設攻圍，以庶幾於一遇，嗟乎術雖
疎，而心更有善矣。品類既繁，攻治必雜，病之輕者因循而愈，
病之重者豈能挽得乎。然藥雖有大力之品，終屬草木之華，必
藉人之正氣為倚附，方得運行而獲效。如中氣餒極，雖投硝黃
不能逐下也；榮陰枯涸，雖投羌麻不能發汗也；元陽脫盡，雖
投熱藥不覺熱也；真陰耗極，雖投寒藥不覺寒也。正氣重傷，
雖投補藥不見益也。非醫者立見不移，病人專心守一焉，有日
至功成之建哉。故貴學者竟詳天地陰陽參透人生原始，如何

四十

生發之機無窮，如何化源之機乃絕，如何而諸危證可以回生，如何而輕證不得以変重。立定大綱，總其要領，臟腑經絡既明，標本虛實識透，始由至奇至繁至遠之文章，終歸最平最純最近之理。千変萬化，經所謂一言而終也。

十九 藥論

概用藥之弊也，始於执流而忘源，信方而遺理，泥成方之驗，不解隨人活潑，膠章句之跡，未能廣會灵通。王太僕曰：粗工褊淺，学問未精，以熱攻寒，以寒療熱，治熱未已而冷疾頓生，攻寒日深而熱病更起熱起而中寒尚在，寒生而外熱不除。欲攻寒則惧熱不前，欲療熱則畏寒又止。豈知臟腑之源，有寒熱溫涼之主哉。夫藥有君臣佐使，逆從反正，厚薄輕重，畏惡相反，未得其通，而漫施療，許孝宗所謂獵不知兔，廣絡原野，冀一遇，術亦疎矣。君為主，臣為輔，佐為助，使為用，制方之原也。逆則攻，從則順，反則異，正則宜，治病之法也。必熱必寒，必散必收者，君之主也。不宣不明不受不行者，臣之輔也。能受能令，能合能公者，佐之助也。或擊或發或劫或開者，使之用也。破寒必熱，逐熱必寒，去燥必濡，除濕必

四十

泄者逆則攻也治驚須平治損須温治留須收治堅須潰者從則順也熱病用寒藥而導寒攻熱者必熱如陽明病發熱大便硬者大承氣湯酒製大黄熱服之類也寒病用熱藥而導熱去寒者必寒如少陰病下利服附子乾姜不止者白通湯加人尿猪胆之類也塞病用通藥而導通除塞者必塞如胸滿煩驚小便不利者柴胡湯加竜骨牡蠣之類也通病用塞藥而導塞止通者必通如太陽中風下利心下痞硬者十棗湯之類也反則異也治遠以大治近以小治主以緩治客以急正則宜也輕清成象重濁

成形、清陽發腠裏、重濁走五臟、清中清者榮養於神、濁中濁者堅強骨髓、辛甘發散為陽、酸苦涌泄為陰、氣為陽、氣厚為陽中之陽、氣薄為陽中之陰、薄則發泄、厚則發熱、味為陰、味厚為陰中之陰、味薄為陰中之陽、薄則疏通、厚則滋泄、親上親下各從其類也、畏者畏其制我不得自縱、惡者惡其異我不得自知、畏惡之中亦可相成、在因病制方多寡之間也、至於相反、兩讐不共、然大毒之病、又須大毒之藥以劫之、雖相反之中亦有相成之妙、神化在是、顧良工之用耳、柰何近醫舍至靈至變之玄理、而執不灵不変之成方、果方若斯之奇、則上古聖賢千言萬卷、祇爲贅餘、而今之學者、神聖工巧一切可廢矣、不知方之爲言倣也、倣病而有方也、其將立也、因見病而後成、融通不滯、其既立也、非有是病則不用是藥、確然難移、是以素問無方、難經亦無方、非無方也、爲倣爲活法也、漢世終有方、爲備於倣也、今奇方療疾、倘果可以發無不中、則昔軒岐扁倉神灵之智、慈濟之仁、豈不及此、何不每一病只立一方、使後人彰明顯著、用無不當、而乃廣爲昭析、多立文詞以以累後學紛賾（音責 空也）雖窮效無十全哉、雖然、方不可泥、亦不可遺以

古方為規矩合今病而變通既詳古論之病情復揣立方之秘旨
或病在上而治反在下病在下而治反在上病同而藥異病異而藥
同證端蜂起而緣索井然變現多危而持執不亂誠為良矣
倘此旨未達逐症尋求既治其上又攻其下既治其彼又顧其
此本之不揣藥無情一切著百家衣徒為識者笑救頭救脚
之訊寧能免夫要知一身所犯病情雖多而其原頭只在一處治
其一則百病消治其餘則頭緒亂益增別症蓋古今億萬人之
形体雖殊而其相傳相成之臟腑陰陽則一百病之害人雖異

而治法不外乎氣血虛實之間虛實既明而寒熱亦在其中正强邪盛即祛邪以保正正弱邪强者即保正以禦邪務使神氣勿傷古有天命益軒黄仁術原重生命以治病故每重本而輕標何今之人徒知治病而不知顧人生命每多遺本顧末不惟不勝治終亦不可治也故能於虛實寒熱邪正處灼然明辨則益心之陽寒亦通行强腎之陰熱亦瘥可發舒陽氣以生陰精滋養陰精以化陽氣或養正而邪自除或驅邪而正始復或因攻為補或補之借為攻治千萬種之疾病總不外乎之理之陰陽苟臨症

狐疑不知所重、姑以輕和之劑、以因萬一之功、非有直入之兵、安有提勝得之效、因循待斃、亦何異於操刀殺人、此皆不求至理、徒守成方者之誤也、仲景曰少陰病吐利、手足厥冷煩燥欲死者、吳茱萸湯主之、蓋吐利厥冷而至於煩燥欲死者、由腎中之陰氣上逆、將成危候、故用吳茱萸以下其逆氣、而用人參薑棗以厚土、則陰氣不復上干、此之溫經、亦兼溫中矣、仲景又曰少陰病四逆惡寒而身蜷、脈不至、不煩而燥者死、蓋四逆惡寒身蜷、更加脈不至、陽已去矣、陽去故不煩、然尚可施種種回陽之法、若其人復加燥擾、則陰亦無絶，即欲回陽而基址已壞，不能回也。

二十　趙氏顛倒五行論

世人皆曰水尅火，趙氏獨曰水養火；世人皆曰金生水，趙氏獨曰水生金；世人皆曰土尅水，而趙氏獨於水中補土；世人皆曰木尅土，而趙氏独升木以培土。若此之論，顛倒拂常，誰則信之。詎知君相二火，以腎為宮，水尅火者，後天有形之水火也；水養火者，先天無形之水火也。海中之金，未出沙土，不經煅煉，不畏火，不畏木，此黄鐘根本。人之声音出自肺金，清濁重輕，丹田所係，不求其源，徒事於肺，抑末也。今之言補肺者，人參芪、清肺者黄芩麥門、歛肺者五味訶子、瀉肺者葶藶桔梗、病之輕者豈無一效、若本源虧損毫不相干、蓋肺金之氣夜臥則歸藏於腎水之中、丹家謂之母藏子宮、子隱母胎、此一臟名曰嬌臟、畏熱畏寒、腎中有火則金畏刑而不敢歸、腎中無火則水冷金寒而不敢歸、或為喘脹、或為咳嗽、或為不寐、或為不食、如喪家之狗、斯時也欲補土母以益子、喘脹愈甚、清之瀉之、肺氣日消、死期迫矣、惟收歛者僅似有理、然不得其門、從何而入、仁齋直指云、肺出氣也、腎納氣也、肺為氣之主、腎為氣之本、凡咳嗽暴重、動引百骸、

四十五

自覺臍下逆奔而上者，此腎虚不能納氣歸源也，毋徒事於肺，或壯水之主，或益火之原，火向水中生矣。若夫土者從火寄生，而當從火而補，然而補火有至妙之理。陽明胃土隨少陰君火而生，故補胃土者補心火也，而歸脾湯一方，又從火之外家而補之，俾木生火，火生土也。太陰脾土隨少陽相火而生，故補脾土者補相火也，而八味丸一方，合水火既濟而蒸腐之，此至理也，人所不知。蓋混沌之初，一氣而已，何嘗有土？自天一生水，而水之凝成處始爲土，此後天卦位艮土居坎水之次也。其堅者爲石，而最堅者爲金，可見水土金爲先天之一原也。又有補子之義，蓋肺為土之子、先補其子、使子不食母之乳、其母不衰、亦見金生土之義、又有化生之妙、不可不知。甲木戊土所畏、畏其所勝、不得已以己妹嫁之、配為夫婦、此甲己化土、化化物以竜為主、其間遇竜則化、不遇竜則不化、仲景立建中湯以健脾土、木曰曲直、曲直作酸、芍藥味酸屬甲木、土曰稼穡、稼穡作甘、甘草味甘屬己土、酸甘相合、甲己化土、又加肉桂、蓋桂屬竜火以助其化也、仲景立方之妙、類如此、又以見木生土之義、蓋土無定位、旺於四季、四季俱有生理、故及之至於木也者、以其尅土、孝世欲伐之、趙氏以為木藉土生、豈有反尅之理、惟木鬱於下、故其根下封、蓋木氣者乃生生之氣、始於東方、盍不觀之為政者、首重農事、先祀芒神、芒神者木氣也、春升之氣也、陽氣也、元氣也、胃氣也、同出而異名也、栽培樹木者、雨以潤之、風以散之、日以暄之、使得遂其發生長養之天耳、反其發達既久、生意已竭、又當斂其生生之氣、而歸於水土之中、以為來春發生之本、此天地春生冬藏之義也、安有代之之理耶、此東垣脾胃論中、用升柴以疏木氣、諄諄言之詳耳、申明五行之用、專重水火歟、趙氏顛倒五行、其論豈不悖哉、

二十二 張仲景製八味丸 由漢武帝久病丹沙、發熱消渴、因製此方以治之、

47

熟地八兩 乃陰中之陽藥也入手足厥陰少陰 山藥四兩 氣溫味甘平入手足太陰經
牡丹二兩 氣寒味辛陰中微陽手足厥陰少陰藥 茯苓三兩 氣平味淡白者入手少陽足太陽
澤瀉三兩 氣平鹹味厚陰也降也入手太陰少陽經 山茱三兩 氣味俱溫酸澁入足少陰厥陰
肉桂一兩 氣熱味辛甘入手足太陰少陰經 附子一兩 氣味大熱通行諸經無所不至

八味說 八味丸乃張仲景之所製也君子觀象于坎而以腎中具有水火之道焉夫坎卦一陽居於二陰之中人身與天地相似也故觀象而製焉人之八房盛而陽物易舉者陰虛火動也陽事先痿者命門火衰也真水竭則隆冬不寒真火息則盛夏不熱是方也熟地山茱

山藥牡丹茯苓澤瀉皆濡潤之品所以壯水之主、八以桂附之物辛甘
陽氣能於水中補火所以益火之源、水火得於相養腎氣復其天矣、
益火之源以消陰翳、即此方也、補肝腎大益脾胃、以培萬物之母、其利
博哉、精要云久服多生子孫以觀壯水補精益血之驗也、仲景曰氣虛
有痰、宜服腎氣丸補而逐之、又曰八味丸者治水泛為痰之聖藥、丹
溪云久病陰火上升津液生痰不生血、宜補血之母以制相火、其痰自
除、易老曰八味丸治脈耗而虛、此西北二方之劑、金弱水衰不能制
火以致少火虧、脈鼓擊而無力、服之能納可見有力、凡人身所生

疾病，靡不由陰陽失調，水火偏勝，故虛損者，本是氣血臟腑之病。治之者，深求陰陽水火之基，調而縷析，調之適之，以平爲己，則病不攻而自退。八味一方，識用兵之八陣，立法周圓，不能出其範圍也。蓋無陽則陰無以生，所以有桂附；無陰則陽無以化，所以有地茱。先天真陰真陽既以並補，更入茯苓以助脾胃，使化源有序，而後天之所生發無窮。牡丹以去陰中之伏熱，澤瀉以瀉竜雷之火邪，去宿水，更同茯苓之淡滲，搬運諸藥下趍。蓋一補一瀉，則補方爲得力之勢妙。如君倘無使引，則獨力難行。此是製方之法，其中变化神而明之，難以尽述、按仲景本旨辛甘發散為陽，酸苦涌泄為陰，清陽出上竅，濁陰走五臟，此方之源也。此方主治在化源，取潤澤之性補下治上，制以茯苓澤瀉之滲瀉，正所以急之使直達於下也。腎陽失守，煬燎於上，使納之復歸於宅，非借降泄之勞不得收攝安靜，故用茯苓之淡滲以降陰中之陽，用澤瀉之鹹寒以降陽中之陰，猶如補中益氣湯用柴胡以引陽中之陰，用升麻以引陰中之陽。如謂澤瀉只用瀉臟，豈有補陰虛之功。然以聚力所有補腎之功，以為方亦可。北方代興乎諸藥，皆腎經不待接引而後至，是其然矣。如人參黃芪白朮，豈又待升柴接引而後至脾胃乎、蓋升降者乃天地之交氣、知仲景之茯澤、即東垣之升柴、則可以言立方之旨矣、二方之並用二味、其意旨之妙如此、可不究哉、仲景觀象于坎卦、而立八卦之方、取桂附即坎卦一陽畫也、非此不能成坎矣、附為三焦命門之藥、而辛熱純陽通行諸經、走而不守、桂為少陰之藥、宣通血脈、性亦竄氣、二者皆有控制之六味、純陰厚味、潤下之品、以消為導、而後能入九淵而納、乃無震盪之虞、今人不知此義、直以桂附為腎陽之定藥、離法任意而雜用之、酷烈中土、爍涸三陰、為禍不小也、或曰仲景治少陰傷寒用附

四十九

者十之[illegible]五六、非專保益於腎陽耶、曰仲景治傷寒直中陰經、非辛熱不能驅之使出、以附子為三焦命門辛熱之味、故用以攻本經之寒邪、急在通行、不在補守也、故太陰之理中、厥陰之烏梅、太陽之乾姜白芍桂枝甘草、陽明之四逆、無所不通、未常不專泥腎經也、惟八味丸為少陰主方、故必為腎氣列於金匱、不入傷寒論中、只惟八味丸之附乃補腎也、桂逢陽藥則為汗散、逢血藥則為經行、逢泄藥則為滲利、與腎寔殊、亦必八味之桂乃補腎也、故曰當論病不當論藥、當就方而論藥、不當執藥以就方之謂也

二十二 八味功能

人生百病爲最重者莫重於瘋癆臌膈是方久服得眞火固住丹田則虛風何從驟起中風之證可無慮矣其甘温能除大熱滋補則精血易生是胃蒸伏熱何地可容勞瘵之蜮不能牢固眞火既充於下元氣自長於中健運如常臟腑均平何有膨膈之患釜下有火鍋飯蒸熟遂溢精氣水精四布則燥渴膈噎安能聚党大症既已消弭小病自難沉錮誠衛生之至寶保命之神丹按百病之來莫不由火而火之發莫不由虛而虛之本莫不由腎益水爲萬

五十

物之母、火為萬物之父、其原父母在並根於腎也、凡腎元足者、則萬象俱安、而疾病無矣、人之賴以生全、資陰陽水火為用、而腎乃陰陽水火之總根、故陰陽失調、水火偏勝、百病生焉、而治之之法、救陰無如壯水、補陽無如益火、然腎為水臟、更為火臟、故救真陰補真陽而舍六味八味之劑、則從何而入者哉、惟有中州脾胃驟虛且寒則溫自從中治、而有補中理中之等劑設也、若久不見效、更用八味而加固紙兔絲五味之類而求之、其餘不論少老女男胎產之久病大病者、及假陰假陽之等症、莫不以此為之益藥也、凡真陰不足、陽無所依而浮越於上、用甘温純靜之劑以養之、酸寒斂納之味以藏之、人但知氣有餘便是火、殊不知火即氣也、或為喘滿煩悶有餘者、病氣也、即邪氣之有餘、由正氣之不足也、凡飲食之氣滯、可以利之行之、順之理之、若浮越之陽氣、惟宜導之納之斂之塞之、以補為消、此氣乃生身之本、非同飲食之滯也、誤用順氣之藥、適足以開走浅元氣之端、辛燥之物、反足以致耗竭津液之患、芎歸陳皮之類、辛香之燥、亦能反動無根之氣、升越失守、虛火上乘、而為患矣、且元氣既傷、胃氣必弱、香美之食入口、未有甘甜之味、況異味藥餌、雖開

五十一

胃扶脾之品、毫無傷脾倒胃之虞、

二十三 八味加減

按其脈右尺洪大、是真陰不足者、熟地可加、右尺細微、是真陽甚弱者、桂附可加、右關無力、是脾胃虛衰弱者、蓯蓉可加、胃熱伏熱骨蒸者、牡丹可加、陽盛陰虛煩燥者、桂附可減、胃弱中氣寒者、牡丹可去、燥涸無陰者、澤瀉可去、孤陽浮越腎氣不能斂納者、更加五味、以助山茱之酸收、牛膝引火之下納、精虛不能化氣、而陰血虧敗者、更加鹿茸河車、是精血有情之品、以助木草之功、

52

脾腎兩虛，不能蒸腐，穀氣不能閉藏，而晨瀉者，加固紙、兔絲，以兼補脾腎之陽氣，治先後二天之閉藏，用得佐使同隊之所宜，以為相助成功之捷效。昧者多擇純補，率意增加，勝於本方，客倍於主，責任不專，本得之功反退於虛位，何能見效？比比不眞之學，安足與語。

二十四 八味所禁

或以何首烏並進為君，則一藥二君，安能適從？或配入參芪，則補腎之藥違經，補氣之味走陽分，而兩將各持所向，反擾僭越之陽虚無所養陰而歸經矣。更有入棗仁歸朮以兼心脾之用，殊不知熟地之補，尤賴山茱之酸澁以固之。至於當歸味辛之走血分，而非精分藥也。酸收辛散大有不同，血分與陰精各自區別。且如白朮以燥爲功，専走脾胃，入之則耗其蒸釀之若，無陰何得而生？至乃酸棗乃心脾上焦之分，全非腎家精血之宜。及杞子覆盆蓮肉之類力量大緩，多加一味多緩一分，雖同取效。又如仙茅巴戟俱有大力，性稟不同，何能同隊，各恃己力，紊乱經制。乾姜炙草中宫之藥，不能直達下焦。如此乱加混殺雜駁，而腎經濡潤之品全失。

則庶也主腎之藥，毫無著落矣，可不追知者哉

二十五 送八味丸

取淡鹽湯送者，鹽能潤下而軟堅，使虛火引而下之，以米湯送者，使脾胃好恬淡之真味，以生精最遠，益補腎以入脾也，以白湯送者，使不疾不徐不熱不燥也，而動盪和臟腑之間而資兼也，以燒酒送者，由藥力於冬天更怯寒氣，可以禦外寒也，以補中益氣湯送者，以挙元氣下陷之症，既欲固其根本，復慮走下太過，上虛下實，更提氣以升之，使三焦元氣常在也，以理中湯送下者，惟脾胃沉寒，

先理中宮、使精能下達也。以生脉湯送者、由虚熱消渴、使金能生水、仍母子相生肺之氣、注於腎而為衛、又能至金水二臟生陰之義、以人參老米湯送者、使引至脾胃兩家、而生陽氣外達、如此煎湯送丸、茲因病急不得久延、標本須能並固、借煎藥之送丸者、發開前導以運水火神丹、鎮納丹田、以扶元陽、永奠、煎劑之功必遍、丸餌之性復前（萌）、從根本以及三焦、送丸之法、意深遠矣、

二十六 補火更重蒸毒辨

按一治陰虛火旺之症、用六味補水以制火、然壯水之主以鎮陽光、

64

識然矣、何則、火虛、虛火妄行、飛越之症、端於命門火衰、腎中陰盛、龍無藏身之地、畏寒而飛、用八味以補命門、引火歸源、然其要只在桂附溫腎、使龍得煖而歸、今當首重於桂附矣、今則君熟地而臣山茱、而桂附反劣爲使、既曰腎中陰盛、猶偏於補水何也、請詳之、曰本方乃益火之源、腎藥非熟地何能到此、水中補火、非此不能、腎火乃陰中之陽、本方亦水中之火也、陰陽之理、陰根於陽、陽根於陰、陰陽互藏其根、水火互爲其用、水爲火命、火爲水主、故眞陰虛者就於火中補水、眞陽衰者就於水中補火、書云、水中補火則其明不息。火中補水，則其源不竭。況肉桂之香竄鼓舞，火附之通經達絡，若非熟地驅駕，山茱溫制，則橫行表裏之健態，斬關奪旗之梟雄，安肯甘心下歸於腎，溫竜窟，制陰寒，而為冬至一陽伏之候耶。故補火重用熟地之旨焉。

二十七 六味丸

熟地 八兩　山茱　懷山 各四兩

牡丹　茯苓　澤瀉 各三兩

右各味散末，蜜丸，滚鹽湯送下。凡服藥後，須食膳美壓之，使不停留胃中，直入下焦，以瀉沖逆之火也。此方治腎虛作渴，小便淋瀝，氣壅痰涎，頭痛眩暈，眼花耳聾，咽燥舌乾，腰脚痿軟等證，及腎虛發熱，共自汗盜汗，便血欬血，水泛爲痰之聖藥，血虛發熱之神丹。又治腎陰虛弱，津液不生，降敗濁陰爲痰，甚至咳逆，救精血耗，收元氣脫，爲滋養腎，制火導水，使机關利而脾土健實，大治婦人血虛血涸之神方。

二十八 六味說

按六味方乃仲景之所製也，以此六者，駕馭桂附，以救腎中之陽也。

五十五

至宋錢仲陽以治小兒、行遲、脚軟、顖開、陰虚發熱之證、一皆属腎中陰虚、而小兒稱陽純氣、無補陽之法、乃用六味治之、應手取效、開聾聵而濟夭札、明工僻工稱甫因之而悟、大抵陰虚血熱、用丹溪補陰方、即四物湯加知栢也、不驗者以此補陰壯水之劑、即見效也、自此以來、用治補陰之神方、趙氏得力於薛氏医案、闡明其足、獨處旁通外病雜症、加減出入、無不貫攝、而六味之用殆盡、錢仲陽以之小兒純陽無陰、腎虚不能制火、此方主之、蓋腎中非獨水也、命門之火並焉、腎無虚則水足以制火、虚則火無所制、而熱症作焉、故為

156

陰虛火動、河間所謂腎虛則熱是也、方中熟地溫而牡丹凉、山藥濇而茯苓淡、山茱收而澤瀉瀉、腎而補脾、有補有瀉相成平補之功、乃平淡之神劑、古今不易之良方、益脾胃而培萬物之母、所謂壯水之主以鎮陽光是也、此純陰重濁潤下之方也、味重腎之質、潤下腎之性、非此不能使水歸於其壑、其中只熟地一味為本臟之主、然過氣藥則運用於上、過血藥則流注於經、莫能監制使入腎也、故以五者佐之、山藥陰金藥也、坎中之艮質凝成金、申子辰水中金局也故入手太陰肺、能潤皮膚、水出高原、導水必自山、山藥太陰之土、真水

五十六

之源也、水土一氣順達下膀、山茱木陰也、肝腎同位、寧借之酸澁、酸木也澁土也以斂其泛溢、水火升降、必由金木為導路、故與山藥為左右降下之主、以制其旁軼、二者不離其左右也、李朱析於二味用他方、是悟也、丹皮本手足少陰之藥、能降心火達於膀胱、水火對名、瀉南即所以瀉〔補〕北、茯苓之淡滲、即以降陽、澤瀉之鹹泄、即以降陰、疏瀹排決、無不就下入海之水也、

二十九 六味變法

按六味方、乃薛氏變法也、嚴嵩參攷、方悟其妙、必遠近因而廣治之、

57

一变爲滋腎和肝飲用六味減半分兩而加柴朮歸芍草乃合逍遥散是也又去白芍加五味是合都氣湯也此合以生肝木故去芍而留朮草者以生脾土也取土生金金能制木也以爲一制一生此天地自然之理也

一变爲滋陰腎氣丸獨去山茱而加柴胡歸尾五味是合逍遥都氣者以肝腎同治然用生地歸尾行瘀滯也柴胡疏木氣也去白芍者恐行妨於疏散也名滋陰者滋厥陰肝也皆用五味粗合都氣者然仍木之反尅以瀉木之義也去山茱者蓋不欲强木也

一变爲人参補肺湯其变愈变無窮真遊龍戲海之妙去澤瀉而

五十七

加參芪歸朮炙草五味麥門，如白朮之與五味，其性相反，安能合之曰合從生脉來，則又自然相通之義，借茯苓以合五味異功散之妙，用當歸黃芪之合五味，以養血之奇功，其不用澤瀉者則為發熱作渴，小便不調，豈可再渴之理，理無再渴，當急於生脉之所來，既留生脉異功之所轉入也，且水生高原，氣化能出，肺氣相散，故發熱作渴小便不調，此當急去澤瀉也，而生金滋水復崇土以生金，其苦心於求道乃能知此也者，

又變為加味地黃丸，又為抑陰腎氣丸，如生地柴胡五味各等分，益本

58

方变化加减，愈出愈奇矣。用柴胡従逍遥来，生地従固本来，五味
合都氣丸。其治耳聾痒痛，或眼昏痰喘，或热渴便溏者，總皆肝
腎陰虧，則知其陰虚半由木鬱而致也。以柴胡疏鬱火，非生地不
能凉，用五味以瀉木，瀉木即補金，金能生水也。曰抑陰非疏不可，
疏之所以抑之也。生地凉血，所以便有瀉，又瀉之所以抑之也。
丁变爲九味地黄丸（兼治小兒諸疳症也）以赤茯代白茯，去澤瀉，以苦楝、當歸、川
芎、史君，尽是主瀉厥陰風木之氣，仍是肝腎同治之法。緣諸疳必
有虫，皆風木之所化，肝有可伐之理，但伐其子則傷其母，故用六味

51

五十八

以補其母去澤瀉不宜再滋也、
一変為益陰腎氣丸加生地當歸五味、然五味合都氣、生地當歸從
四物來、何也其別症發熱潮熱、晡熱、是肝血虚也、安得再用柴胡
以疎之耶、曰最妙在胸膈痞滿可、是肝胆燥火同伏胃中、非當
歸生地合用、何以清胃中之火而生胃陽、若用柴胡便為逍遙入
肝腎不能入胃陽也、一用柴胡一不用柴胡、便為逍遙流濕就燥
之義、判若天淵、豈有微隱之乎、趙氏以六味加減似乎疎淺也、須
嚴密其善用六味、惟薛氏啟其悟端、而已上変化、即且未透其

根柢、故冬麻而不能用見其合柴胡當歸而去白芍、又反用白芍為平肝益腎、此則其總明也、乃謂白朮與五味水土相反、人參脾藥不能入腎、其論亦高、閱有嚴密、然細參薛氏医按、必竟趙氏陳淺、薛氏諸變化、嚴密似乎寬濶、然實切要融通、學者當精思善悟其妙、棄其而以意貫通之、大旨以肝腎為主、而兼求脾肺、則脾肺二火不必提起、而自然帖伏、參攷諸家各本方加知柏各二兩、名知柏八味丸、治陰虛火爍、骨痿髓枯、真水衰竭、所謂壯水之主以鎮陽光也、蓋尺脉旺者可宜、若尺脉虛者則不宜用、

又本方加桂名七味地黃丸引無根之火下降而歸源、

本方加五味二兩名都氣丸治癆嗽之病加五味以益肺之源以生腎水、再加肉桂亦同治消渴、

本方加麥門三兩、五味二兩、名八仙長壽丸、再加紫河車一具、並治虛損勞熱、

本方加牛膝杜仲各二兩治腎虛腰膝痛

本方去澤瀉加益智治小兒小便頻數

本方用熟地二兩、山茱山藥牡丹當歸紫胡各五錢茯苓澤瀉各兩半、蜜丸硃砂為衣、名益陰腎氣丸、即東垣明目地黃丸治腎虛目昏、加紫胡所以升陽於上也、

60

天地而無水火，何以成造化之功？人身無水火，何以濟化生之道？六味地黄丸，補陰陽之小劑；八味地黄丸，補陰陽之大劑。水中補火，其明不熄；火中補水，其源不竭。補中有瀉，久服無偏勝之害；瀉少補多，邪去而正愈見其能。相和相濟，五臟俱宣，根本既崇，枝葉自茂，神功翊匝，莫能外焉。設遇證候不同，難以原方純用，或以輕重變通，以原方爲主而加入。是病必有是藥之一二，則本方得力既存，而附翼祛邪之功愈見。莫拘於故套之膠柱，而無權變之貫通。參諸景岳方中自可識矣。以氣血之藥，或風濕之邪，或原七情之病，或感六

六十

滛之客、各隨本方而加入之、向道也、不可不知、

三十 先天虛證治療大旨 附少火壯火弟火民火辯

愚按、少火非火、乃丹田生之眞元之陽氣也、一呼一吸、賴有以生、蒸腐水穀、化生精華、得其平則安其位、萬象泰然、是曰少火生氣、失其其平則離其位、是曰少火蝕氣、挾肝相火爲竜雷、挾三焦相火、及脆絡與五志喜怒思憂恐五臟諸火、馮氏以三焦爲民火、後天爲弟火、弟火即民火也、医貫以三焦爲民火、医学以膀胱爲弟火、余云、心君火失權、則肝腎相火侮弄、合同三焦起爲壯火也、浮遊三焦、蒸爛乎臟腑、炮熾乎肌肉、故其爲病、或唇焦舌烈、煩渴譫語、面紅眼赤、或氣逆乾嘔、或

61

痰滋似喘或火煩咽痛体似乾柴肌如火烙誰不曰實熱證也昧者以為實熱而滅其火非滅火也是猶滅氣乎夫不知要早細看或渴而能飲冷水或乾而好飲温水或熱至湧泉火起或雖熱而久按則凉或身熱而膝下冷是分實熱虛熱之證只要憑以元氣爲先又或其本原虛而有挾熱證治者或有与似者以冷水試飲之飲而不納者是内寒也或以熱藥冷飲或以八味加枯2炒知栢以暫抑其元炎其勢稍退則去之大法因其所因而調之從而安之撫之以平而已則火不去而病自安使元氣無傷至於虛人而感冒

六十七

發熱、雖外邪而來、然初感亦逆而迎之、其病立解矣、不使打火動新邪、撲出前邪、若久不解、亦從虛治之法、

三十二 先天眞水眞火無形虛實證 此愚之治驗姑畧存之以備樓懸

○一眞水實、則脈左尺有力、其形淡白泥滯、此證邪水冷溢經絡、其病則為腫滿、泄瀉、痲痺、痰喇、瘡水也、此水盛則火衰、諸症現起、治者宜上下分消、上者自寸至尺、下者自尺至寸、分消之所在也

○一眞水衰、則脈浮洪大無力、或左尺細數、右尺稍盛、此由眞陰不足、其形色淡白紅、面如煙熏、或兩顴頰帶赤、身外餘熱、或黑、陷而慘暗、

62

身体瘦弱、精枯血竭、膚如甲錯、唇乾舌燥、髮短眼黄、目睛多白、性急多怒、頻飲咽乾、小便浩數、大便常燥、多發潮熱、陰蒸、骨痛、五心煩熱、上焦奔迫、等證、及甚至頭眩眼華、氣逆上冲、乾嘔、咽乾喉痛、或喉中如梅核、咯之不出、嚥之不下、胸前骨痛、腰痛脊疼、飲食不運、夜多欬嗽、痰稠白沫、咯血衄血、遺精、淋瀝、溷濁、好食凉味、愛酸惡熱、身温多汗、小便赤短、熱淋、等證、并婦人血少、調閉者、冬屬真陰真水衰涸之所致病也、一是壯水之主、本方參調精血之品、可宜出入增損而治之、用滋補之法、計月日之永、必濟、方能見效、

六十二

○一眞火實者、乃命門一點眞陽之火氣爲生身立命之根原、火旣充矣則陰平陽秘、精神乃治、病安從來、何故妄投藥餌、

○一眞火虛者、其脉右尺遲軟、或細微而欲絶、或三部全遲無力、不及左尺之稍盛、是爲眞陽不足、其形皮色闇淡如烟、或体瘦色白、四肢倦怠、毛髮黃落、性緩、輕微語言、氣短瘦弱、肌温不耐一點風寒、内怯生冷、易脹易瀉、或能晨瀉（眞火虛肝火旺肝主疎泄故也）膝下冷、或酸疼、筋骨無力、或飲食不化、由丹田不煖、或少食不飢、或時常泄瀉、或夢遺精滑、眩暈自汗、腰痛耳聾、小便閉澁、大率外假熱内眞寒、總是陽虛

63

調氣

之顯證也、治之者以益火之原、其理中之脾胃、溫補為之主張、自見速效

二十三 水衰火虛治法 由水衰而致火虛也

一眞水衰、相火妄熾、乃水不能制火、故虛火得以妄行、書云、水之不足則見火之有餘、又曰、陰虛則陽乘之、又曰、寒之不寒、是無水也、以寒治熱而熱不除是陰不足、非火有餘、蓋補陰則陽自退矣 蓋陰虛不能斂陽、宜補陰則陽自退矣、陰虛火旺之症、皆由縱恣情慾而然、虧損眞陰、陽無所附、因而飛越上升、此火窮則發之義、久則孤陽不能獨旺、無根之火豈能長明、火窮而氣亦絶矣、所謂壯火蝕氣、氣窮而火亦滅矣、得火為填空以挈

六十三

其乘虛炎上之勞故陰已虧宜補陰以配陽使陽從陰化宜六味地黄丸壯水之主以制陽光若虛中帶實炎上之勢甚沖加炒枯知栢以暫抑之水虛甚者加麥門五味以補水之源加牛膝以降浮火如肝火焦熾則頰唇焦裂加柴胡白芍抑肝平之無不當矣

〇一眞火衰壯水也邪水得以妄行乃火不能制水故壯水得以妄行經云壯水蝕氣氣亦弱矣當補陽以制陰使陽從陰長宜八味地黄丸兼加滲濕導水與温散之藥而求之無不愈矣

按水火二證偏衰者皆責於先天所以求其虛也然非參合後天之

餲氣

味虛則不能模效、治者可不深求而兼劑之歟、

三十三 滋陰降火論

王節齋云、人之一身、陰常不足、陽常有餘、蓋由縱慾者多、節慾者少、精血既虧、相火必旺、火旺則陰消、而癆瘵吐血咳嗽陰熱之證作矣、故宜常補陰、使陰與陽齊、水升火降則無病矣、丹溪先生滋陰補腎之說、謂專主左尺腎水也、古方滋陰藥皆兼補右尺相火何也、殊不知左尺元虛右尺元旺、故補左以制右固然、若右虛而左旺、不補於右何以均平、但少年火旺致病者十之六七、火衰致病者十之二三、且少

年腎氣正旺，似不必補，然情慾正熾，妄用太過，乃中年慾心熾盛，由少年斲喪既多，如火已燼烟，安得復矣，及老年真元漸絕，只有孤陽，故所謂補陰之藥，自少至老不可缺也，如王節齋發明先聖之旨，千載之訛，其中盛哉，以愚觀證治驗，但水衰者固多，火衰者亦不少，其人先天稟賦薄弱者，及童子尚有火衰之證，豈可獨補水哉，可觀其人之虛實則可，只謂偏補陰之多者則不可，觀之補陰以知柏為君，天門麥門為臣，蓋黃柏苦寒瀉水，天門寒涼損胃，服之補水之功未見，而損傷脾胃之害已招，故以滋陰降火者，蓋滋其陰而火自降，一能串腐而下，不必降火而火自降也。然二尺各有陰陽水火，互相生化，當於二臟中各分別陰陽虛實，求其所屬而平之。若左尺脉虛弱而細數者，是真陰之真水不足也，宜用六味地黃丸以壯之。右尺脉遲軟或沉細而數者，是真陽之相火不足也，宜八味地黃丸以益之。至於兩尺微弱者，是陰陽俱虛，宜用十全補正湯以滋先後二天之化源，實萬世無窮之利。余今特推而出之，以備前賢之未備，使病家醫家觀採精微，如意於六八味二方中云爾。

三十四

捫熱法，併察證外而知其內辨

六十五

一凡内傷真陰虛者以手捫之熱法有二捫之烙手骨中如炙者腎中陰虛也初捫之烙也手久按之筋骨之下又覺寒者腎中之陽虛也見面赤者必陰盛於下逼陽於上也口渴者即腎水乾枯求外水以自救也口吐痰多如清水者腎中水泛為痰口不渴也口咯痰如珠者水沸為痰陰火熬煎口必渴也腰脇痛者肝腎虛也足心如烙火起湧泉也膝下冷者命門火衰也上氣必喘也尺脉數者必陰火旺真陽衰故數而無力也骨中痛如刺者此腎主骨腎水衰火乘腎也此察證治病陰虛陽虛之辨而腎虛之中又

66

有眞陰眞陽之不同宜分别以治之

三十五 固本十補丸 主治大人小兒腎元不足更有奇功若常用無茸亦可脾胃虚弱者較之八味丸

熟地八兩 山茱五兩 淮山六兩 茯苓四兩

牛膝二兩 杜仲三兩 鹿茸四兩 五味二兩

附子一兩 肉桂一兩 右爲末蜜丸每服五錢淡鹽湯送下隨進飲食壓之

按十補丸解說經云濁中濁者堅强骨髓又曰精不足者補之以味、非地黄、性稟地氣之至陰至陰腎處也重濁味厚、其能補陰乎、但色黄得土之正色故走心脾、蒸晒至黑則減寒性而專補肝腎矣、况腎陰既虧、則木失所養、而肝血定難有餘、故虛則補其腎、(母)使母能生子、即熟地也、更補其子、恐子虛則竊(竊)母氣、故用山茱以益肝、且精欲固而氣(畏脫)泄、(茱)氣味酸澀、更可為補精髓之用、以助腎家閉藏之職、山藥(甘溫)既補脾而入腎、從化源也、茯苓淡滲、搬運下趨、精華入腎、而又伐邪水以厚脾、而無澤瀉者、恐久服有傷陰之弊、又去牡丹者、無陰熱何必用清、清之者恐伐脾胃之氣、何杜化源之机、故八味方中去丹澤也、但腎最居下、非加牛膝猛力下行、豈能達腎乎、用杜仲使堅強骨髓筋膜、從熟地而為佐使、然萬物生

於陽而不生於陰，惟春夏發生之長養，而秋冬肅殺之閉藏，故熟地
山萸一陰藥也，更得肉桂之辛甘，以補命門之真火，附子健悍以嘘既
槁之陽和，使陽生陰長寓於其中，蓋但慮草木之（無）情，不能速生，更
借異類（與）同精血有情之品，其鹿茸乎，鹿稟純陽之質，茸含生
發之机，以助草木，而峻補筆資之力，令無情變為有情之功，因補陽
而安其位，使火歸原，乃成一陽陷於二陰之坎象，則萬象（病）泰（俱）然（無），蓋
長生之兆。（泰）蓋人在氣交之中，多動少靜，動則化火，滅（誠）恐辛溫之藥，動
則柔芳借越於上，再入酸以斂之，鹹以降之，其五味乎，況斂肺金而

滋腎水、生津液而保腎陰、功專納氣藏源之府、經曰五臟者神明之藏也、故臟無瀉法、至於腎者藏精之所、至陰之處、有虛無實、有補無瀉、書云虛者十補勿一瀉、此全責補腎之力、故名固本十補丸、此之謂也、

三十七 增補先天合後天論河圖合洛書圖、

易繫曰天高地卑乾坤定矣、蓋乾南坤北、天地自然之定位、故乾父居南、陽氣以降而生物、故乾一索而生長男、震在東北、再索而生中男、坎居正西、三索而生少男、艮居西北、陽老而歸息於中宮也、坤母居北、陰氣以升而生物、故坤一索而生長女、巽居西北、再索而生中女、離居

88

正東、三震而生少女兑居東南、陰老而歸息於中宮也、天數以陽出陰入出者自數多而出於數少也、八者自數少而入於數多也、蓋天開於子、爲天地之原、夫萬物從微至著、始發於子上爲一以生、序行於西南、巽上而爲二、行於正東離上而爲三、行於東南兑上而爲四、既而息於中宮而爲五、此陽自少順行而八也、夫陰極即陽生、既而生自中宮、逆行西北艮上而爲六、逆行正西坎上而爲七、逆行東北震上而爲八、逆行正南乾上而爲九、天數以九八七六爲順、地數以一二三四爲逆、今陽順則陰逆、陽而成九宮、正合後天洛書之數也、夫萬物莫不本於河圖洛書之數天一生水地六成之居北、地二生火天七成之居南、天三生木地八成之居東、地四生金天九成之居西、天五生土地十成之居中、生數不可移成數可移、天一之水、天三之木、天五之土皆陽動所生、不待行爲、故天一即居北合洛書之坎一、天三即居正東合洛書之震三、天五即居正中央合洛書之中五也、地二之火地四之金乃陰靜而生也、陰者女人之象、不能自立、必從陽而立焉、地二必偶天一而成三、火有形而無質、其氣虛必加數之三、三而得九處於南方而合離九之數也、故地四必偶天三而成七、金有形有質、不須重之、即七數居西方而合洛書兌七之數焉、生數不可移、但以配偶各居於本方也、成數可移、天道左旋、析河図南方成數天七、補東南隅之空、加七七四十九數、以除五九四十五、止為四數、合洛卡之巽四、故居東南焉、以河図北方之成數地六、補西北隅之空、加六六三十六數、以除三十、止為六數、合洛卡之乾六、故居西北焉、以河図東方之成數地八、補東北維之空、加上八八六十四數、除六十不論、止用四數、再加算子一倍、乃二四數得八、合洛卡艮八之數、故艮居東北焉、以洛卡（河図）西方之成數天九、補西南維之空、加算九九八十一數、除八十不論、止用一數、加一倍算得二數、合洛卡坤二之數、故坤居西南也、然而東西方之成數、用加一倍算、南北不用加倍者、蓋以東西之氣、與南北之氣不同、蓋南極北極為天地之樞杻、天共七政晝夜行而不息也、此針之所以指南也、可見東西之氣常動而實、南北之氣少動而虛、蓋指南北之氣低極旋軸、不若東西氣之升降轉輪、南北之效不用加倍者、蓋南北之有極也、關子明曰河図洛書相為表裏、八卦九章相為經緯也者、

河圖

五十五點

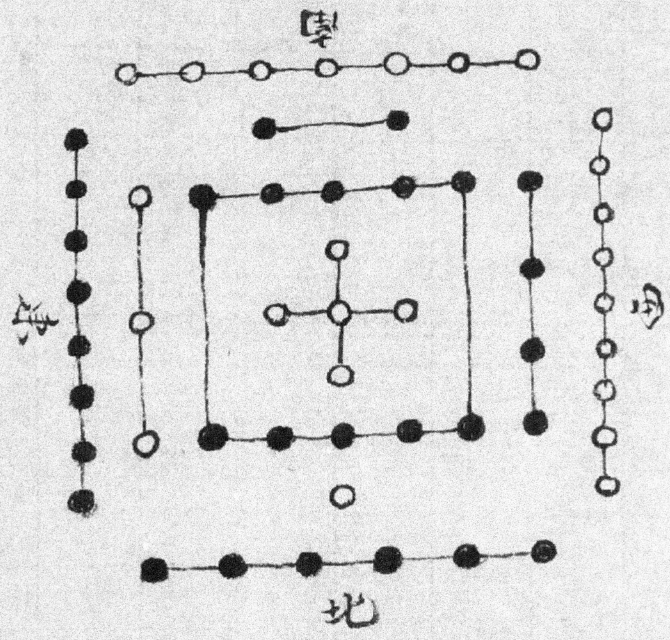

河圖之位一與六共宗
而居乎北二與七為朋
而居乎南三與八同
道而居乎東四與九
為友而居乎西五與
十相守而居乎中

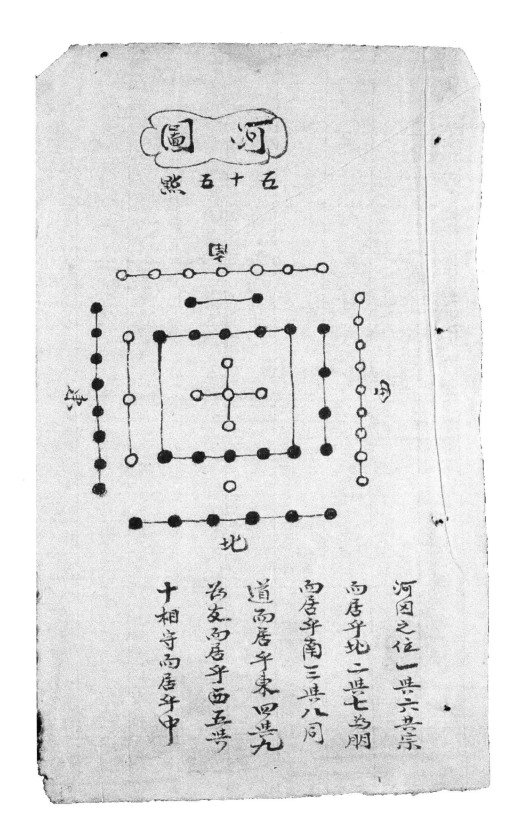

洛書

四十五点

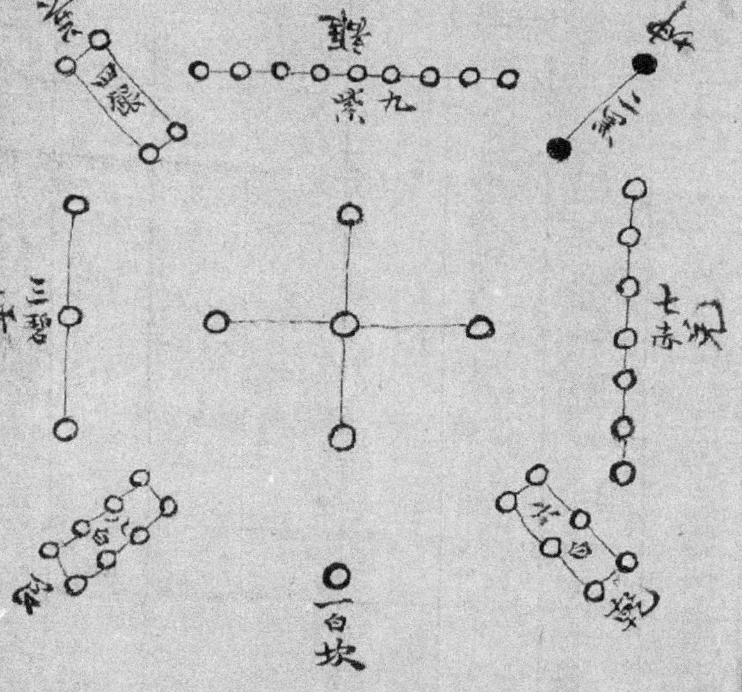

洛書之數戴九履一左三右七二四為肩六八為足

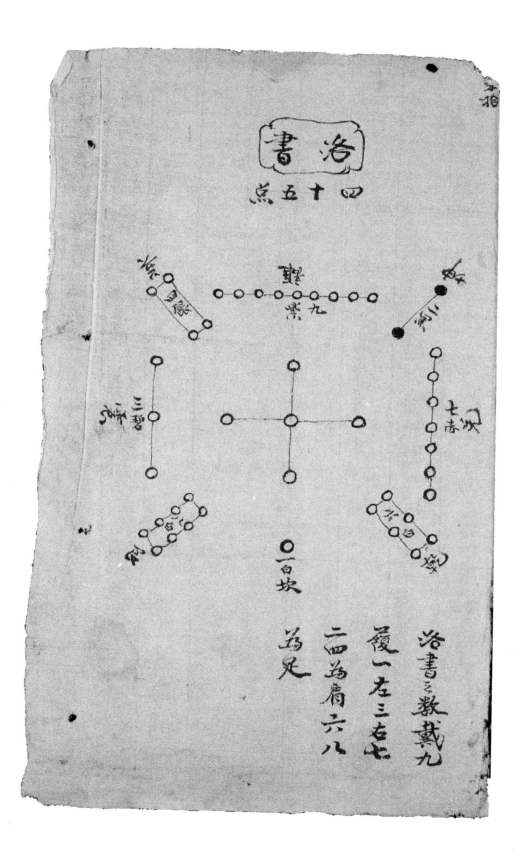

海外漢文古醫籍精選叢書・第二輯

櫟蔭先生遺説

（日）多紀元簡　遺作
多紀元堅　輯録

内容提要

《櫟蔭先生遺説》是日本著名考證派醫家多紀元簡的遺作集，由其子多紀元堅輯録而成。此書諸篇單獨行文，所論皆元簡研究醫學之心得，頗能啓迪後學，值得讀者學習借鑒。

一 作者與成書

《櫟蔭先生遺説》分上、下兩卷，各卷首葉在書名下皆題署「男　元堅　謹録」，且開篇即云「先君子著書之富……」，并羅列多紀元簡著作《素問識》《靈樞識》《傷寒論輯義》等書名，加之書中多處提到「先君子」，可知此書原爲多紀元簡所作，後經其子元堅輯録而成。

關於《櫟蔭先生遺説》的成書年代，據筆者考察所見鈔本，書中共有十次時間記載：第一次出現在卷上之首，緊接元簡著述目録之後，曰「《素問解題》，天明丁未刊」，所記時間爲天明七年丁未（一七八七）；第二次見於卷上《難經》解題文末的小字注文，曰「此是予三十四歲時所撰者……甲子冬仲冬某記」，此文當爲元簡三十四歲，即寬政元年（一七八九）時所作，補記時間爲享和四年甲子（一八〇四）；第三次署於卷上元簡續補的《難經》考證文末，曰「寬政壬子仲春十八日」，即寬政四年壬子（一七九二）；第四次載於卷上麻疹篇文末，曰「享和癸亥麻疹大行時，先君子製劑孟介石治痧神方」，記享和三年癸亥（一八〇三）之事；第五次録於卷上元簡治驗，曰「文化二年乙丑十一月，水府文公薨時」，載文化二年乙丑（一八〇五）發生之事；第六次記於卷下醫書考證，曰「《醫賸》八卷，二筆一卷，文化戊辰删定爲三卷，刊行於世」，即元簡著作《醫賸》删定并刊行的時間爲文化五年戊辰（一八〇八）；第七次見於卷下元堅所録「異胎」文末，曰「時延寶六年秋九月」，述延寶六年（一六七八）有村紹甫治婦人異胎之事；第八次録於卷下，曰「建保三年，時政人道患癰，腫痛難堪」，轉録建保三年（一二一五）時政人道患癰召諸醫會診之事；第九次抄於卷下的元簡見聞，曰「享和辛酉冬，一士家人數輩啖商陸根」，記享和元年辛酉（一八〇一）之事；第十次書於卷末題識，即「慶應三丁卯六月廿五日夜三更燈下讎勘」，即抄迄校勘此本的時間爲慶應三年丁卯（一八六七）。書中記載的上述時間，有刊刻元簡《素問解題》的時間，有創作、補録《難經》考證的時間，有書中記事發生的時間，也有此書的抄寫校勘時間，最早在一二一五年，最晚爲一八六七年，但這些時間均非《櫟蔭先生遺説》的成書時間。

據《中國中醫古籍總目》所載，《櫟蔭先生遺説》的著作時間是一七九二年❶，即日本寬政四年，但當時元堅（一七九五—一八五七）尚未出生，不可能輯録此書；且在前述時間信息中，如享和元年辛酉（一八〇一）、享和三年癸亥（一八〇三）、享和四年甲子（一八〇四）、文化二年乙丑（一八〇五）都晚於一七九二年，作者不可能將成書之後發生的事件記在書中。顯然，《中國中醫古籍總目》著録的成

❶ 薛清録，等．中國中醫古籍總目[M]．上海：上海辭書出版社，二〇〇七：八八七．

書時間并不準確。又據日本《國書總目録》記載，《櫟蔭先生遺説》成書於文化十一年（一八一四）❶，但筆者未在此書中找到確切的證據，目前尚不知《國書總目録》著録時間的依據所在。據筆者所見鈔本卷末題識所書「櫟蔭先生遺説卷下了/慶應三丁卯六月廿五日夜三更燈下讎勘森約之養真」，僅知此書此本爲著名醫家森約之抄於慶應三年（一八六七），是《櫟蔭先生遺説》十幾種鈔本中的一種。

多紀元簡（一七五五—一八一〇），日本江户醫學館督事、考證派醫家的杰出人物，字廉夫，幼名金松，通稱安清，後改稱安長，號桂山，别號櫟窗，爲多紀元德長子，生於江户（今屬東京）。元簡家族本姓丹波，爲《醫心方》作者丹波康賴後裔，至元簡祖父元孝時改姓多紀。元簡自幼從其父及目黑道琢學習醫學，同時又隨井上金峨修習漢學。三十五歲時，元簡出任奥醫師，不久又獲「法眼」稱號。三十六歲時，元簡在其父元德主持的躋壽館中擔任助教。三十九歲時，元簡兼任見習御醫。四十四歲時，元簡被正式任命爲幕府第十一代將軍德川家齊的侍醫，兩年後因忤旨被免去侍醫及奥醫師之職，降爲普通醫師。五十六歲時，元簡再次被任命爲奥醫師，惜於同年十二月突發急病辭世。元簡好古博覽，披閲古今文學史志，凡與醫事相關者，皆博采旁收，常以應試諸疾，屢奏奇效。除治病療疾之外，元簡的主要貢獻在於醫學教育及醫書的注解、校刻和出版。

多紀元簡的醫學著作，據《櫟蔭先生遺説》卷上元簡著述目録所載，業已成書的共計十三部，分别爲「《素問識》八卷稿本四卷、《靈樞識》六卷、《傷寒論輯義》七卷、《金匱玉函要略輯義》六卷、《扁鵲倉公傳彙攷》一卷、《素問解題》一卷附《難經》解題、《脉學輯要》三卷舊名《彙粹》、《觀聚方要補》十卷、《救急選方》

❶（日）國書研究室.國書總目録[M].東京：岩波書店，一九七七：（第八卷）一三五.

二卷、《痧疹輯要方》一卷、《櫟窗類鈔》五十卷、《醫賸》三卷附録一卷、《櫟蔭文集》五卷」，其中「内五部已刊行」；尚未脱稿的有十五部，即「《醫方挈領》《炮炙録》《挨穴輯要》《病名沿革攷》《病名纂》《病名紺珠》《辨證録》《傷寒類脉》《麻疹纂類》《疹麻心得》《醫籍攷》《聿修堂架藏志》《本朝醫説》《奇方彙編》《楯中鏡》等」。由是，元簡著述之豐可見一斑。

多紀元堅（一七九五——一八五七），爲元簡第五子，字亦柔，幼名鋼之進，成年後通稱安叔，號茝庭、三松，其書齋號存誠藥室。元堅隨父習醫，從儒者大田錦城修習漢學。三十七歲時，元堅受命爲江戸醫學館講師，後任醫學館教諭、督事以及幕府醫官，并獲「法眼」「法印」稱號。元堅與其兄元胤承繼父業，畢生潛心研究、考據文獻，整理醫籍，爲古醫籍的保存及傳播做出了重要貢獻。

元堅著有《素問參楊》《素問紹識》《傷寒廣要》《傷寒論述義》《傷寒論綜概》《金匱玉函要略述義》《金匱要略廣要》《金匱要略方論二劉合注》《藥治通義》《證治通義》《女科廣要》《雜病廣要》《雜病名醫彙論》《水腫脚氣異同辨》《水腫加言》《診病奇侅》《診腹要訣》《櫟蔭先生遺説》《存誠藥室未藏書目》《掌記》等。

二　主要内容

《櫟蔭先生遺説》二卷，乃多紀元堅輯録其父多紀元簡遺作而成，書中收録元簡的醫論多篇，個别篇章也有部分元堅撰述的内容。全書具體内容依次如下。

卷上，首列多紀元簡著述目録，業已成書及尚未脱稿的共計二十八部，具體書目已在前文言及，此不贅述。

第二，《難經》解題與考證。首先交代《難經》解題的來歷和刊刻的原因，指出「《素問解題》，天明丁未刊，其板早燼，傳布稍稀。近撰《素問識》，復爲訂補，以冠其首。然所附刻《難經》解題，人難得見，因全録之」。其下全文載録《難經》解題，分別考證了《難經》的書名、作者及歷代注家。在解題之後，有元簡續補的兩則《難經》考證，其一爲清·徐大椿《難經經釋》對《難經》作者的研究，其二是元簡於寬政四年壬子（一七九二）摘録元代吴澄將《難經》分爲六篇的論述。

第三，痙病所因論。元簡引用《黄帝内經》及晋·皇甫謐《針灸甲乙經》、隋·巢元方《諸病源候論》、唐·孫思邈《備急千金要方》諸書之論，旁參明代張介賓、清代柯琴等人的見解，結合個人對痙病的認識，討論了痙病的病因病機、治則方藥，并指出了前人的某些訛誤。

第四，論麻疹。主要從名義、形色、疹期等角度，論述麻疹的病機、辨證、預後、治法和治驗等。

第五，論痔疾。元簡指出痔疾的病因病機主要是過食膏粱厚味，致下焦濕熱。此外還有先天宿毒引發痔疾的情況，此類痔疾有自愈的可能。對於痔疾的治療，元簡認爲應「隨一時所顯證候而用藥，不敢深治」，重視日常調攝，主張節飲食、勿久坐、省思慮。

第六，論脚氣。爲元簡所撰「答人論脚氣書一篇」，詳細闡述了脚氣病的病因、病機、症狀、方藥等内容；指出因「風土自異」，日本與中國嶺南地區脚氣的患病率不同；總結了預防脚氣的方法。

第七，元簡治療經驗。先有元簡治驗三則，由元堅搜集整理，涉及婦産科、兒科及内科疾病；又有文化二年乙丑（一八〇五）水府文公病案一例，爲元簡自行記録。

卷下，開篇記述蝦夷地區（今屬日本北海道）的一種「異疾」，元簡首先考察中國醫籍如明・王璽《醫林集要》、清・吴謙《醫宗金鑑》，認爲此怪病即兩書所論青腿牙疳；其後摘録兩書所論，詳述該病的病因病機、證候特點、代表方藥、典型病例和預防措施。

第二，論小兒吐乳。元簡認爲該病病機有虚實兩種，臨床治療應隨證論治，或清凉，或温補，或用消痰、化食、降氣、殺蟲之法。

第三，藥論。論述丹參、密陽參、蝦夷産厚朴三種藥物的産地、形態、鑒別與性味等。

第四，醫書。論述《醫賸》《心印紺珠經》《日華子諸家本草》等醫書的書名、著者、卷次以及版本考證、刊刻經過等。其中談到的《醫賸》爲元簡本人的著作。

第五，醫論六篇。内容涉及特殊療法、諸病驗方、文字考訂等。具體爲：「半身不遂挑筋法」，詳述挑筋法的操作及預後；「五香湯」，考證小兒初生用該方的出處；「十黍百黍之訛」，遍引漢・許慎《説文解字》、劉安《淮南子》、劉徽《九章算經》，明・朱載堉《律學新説》以及日本丹波康賴《醫心方》等中日古籍，考證十黍可否妄改；「四眼」，引用諸家之説，解釋「四眼」的含義；「紫荆皮」，列舉元・薩遷《瑞竹堂經驗方》、明・鄭寧《藥性要略大全》、李時珍《本草綱目》、王肯堂《外科準繩》等醫書所載該藥的别名，如牛頭藤、滑藤根、紅肉、内消等；「山歸來」，引用明・吴嘉言《醫經會元》及張元忭、孫鑛《紹興府志》等書的相關記載，考證日本俗稱「土茯苓」爲「山歸來」，乃是「奇糧」音訛所致。

第六，爲元堅所録弇州本草序、毒、異胎三條。據元堅所云：「先君子欲撰《續醫賸》，未及下筆而僅記其目，中有弇州本草序、毒、異胎三條，此皆得聞其説，因録於左方。」可見，此部分内容爲元堅後補。

第七，兩例醫事考證。依次爲《醫賸》中所載翠竹翁引綫診脉事、《靈樞識·綜概》所載吕滄州將史崧本《靈樞》二十四卷誤記爲十二卷事。

第八，元堅所録其父元簡的見聞、心得四十餘則。元堅曰：「先君子平生見聞及心有所得，雖一知半解，輙筆記之，以爲他日考驗之地，其説有既定書所未收，因略摘録以便學者。」此部分内容多爲元簡讀書研究、臨證診治過程中的感悟和思考，如「虚勞及極虚説，間有手指末節以下腫黑者，蓋經脉不盈，四末惡血歸之所致，未知前人言及否」；也有對文字的校勘、考證，如「《活幼心書》老鶴彈一個，煮熟，與兒食之，據《宛委餘編》，『彈』即卵也」。

第九，以元簡之言結束全書，曰：「欲識古人臨證施法之妙處，莫如善讀其治驗焉。予將掇其精英，類爲一書，亦未果，惜哉，衰（哀）哉！」

綜上所述，《櫟蔭先生遺説》全書内容豐富，前後文并無連貫性和邏輯關係，各篇之間可獨立成文，并不影響閲讀。

三　特色與價值

《櫟蔭先生遺説》爲元堅輯録其父元簡的遺作集，全書部頭雖小但内容豐富，廣及醫學領域的方方面面，如醫理闡發、臨證經驗、藥物考辨、諸病驗方、特定療法、怪病異疾、醫書版本、文字考釋、醫事醫家等。書中還有元堅所作小字按語，亦有對元簡引文出處的考證。縱觀全書，其引録、參考的歷代文獻有直接寫明書名的，也有僅列出人名的，具體如下。

秦漢時期：醫學類文獻有《黄帝内經》、漢·張仲景《傷寒論》《金匱要略》；非醫學類文獻有秦·吕不韋《吕覽·本味篇》，漢·司馬遷《史記》、淮南王《淮南子·天文訓》、劉向整理《賈誼新書》、劉熙《釋名》、枚乘《七發》、劉徽《九章算經》。

魏晋南北朝時期：醫學類文獻有晋·王叔和《脉經》、皇甫謐《針灸甲乙經》、葛洪《肘後備急方》、梁·陶弘景《本草經集注》。

隋唐時期：醫學類文獻有隋·巢元方《諸病源候論》、隋唐·佚名氏《龍樹眼論》以及唐·孫思邈《備急千金要方》、甘伯宗《名醫圖》、藺道人《仙授理傷續斷秘方》、王燾《外臺秘要》；非醫學類文獻有唐·魏徵《隋書·經籍志》、房玄齡等《晋書·范寧傳》及張守節《史記正義》。

五代兩宋時期：醫學類文獻有五代·日華子《日華子諸家本草》，以及宋·王懷隱等《太平聖惠方》、宋徽宗《聖濟總録》、林億等整理《金匱玉函經》、王惟一《難經集注》、陳無擇《三因極一病證方論》、楊士瀛《仁齋直指方》、張杲《醫説》、劉昉《幼幼新書》；非醫學類文獻有五代·劉昫《舊唐書·經籍志》，以及宋·宋祁等《新唐書·藝文志》、李昉等《太平御覽》《文苑英華》、高承《事物紀原》、鄭樵《藝文略》。

金元時期：醫學類文獻有吴澄《贈醫士章伯明序》、李東垣《脾胃論》、曾世榮《活幼心書》、薩遷《瑞竹堂經驗方》、滑壽《難經彙考》；非醫學類文獻有馬端臨《文獻通考》、佚名氏《玄池説林》。

明代：醫學類文獻有戴元禮《證治要訣》、王璽《醫林集要》、鄭寧《藥性要略大全》、吴嘉言《醫經會元》、竇默《瘡瘍全書》、李時珍《本草綱目》、龔廷賢《種杏仙方》、官檞《保赤全書》、孟繼孔《治痘詳説》、吴勉學《師古齋彙聚簡便單方》、王肯堂《證治準繩》《王氏醫鏡》、馬之騏《疹科纂要》、李梴《醫學入門》、龔居中《痰火點雪》、繆希雍《先醒齋醫學廣筆記》、熊宗立《類證陳氏小兒痘疹方論》、徐陟《菉竹堂簡便方》、殷仲春《醫藏書目》；非醫學類文獻有朱載堉《律學新説》、郎瑛《七修類稿》。

清代：醫學類文獻有祝登元《祝氏心醫集》、郭士遂《痧脹玉衡》、徐人鳳《醫法指南》、徐大椿《難經經釋》、吴謙《醫宗金鑑》、張宗良《喉科指掌》、張璐《張氏醫通》；非醫學類文獻有錢曾《讀書敏求記》、陸次雲《八紘繹史》、石天基《傳家寶》以及王士禛《香祖筆記》《居易録》《宛委餘編》《四部續稿》。

日本：丹波康頼《醫心方》、梶原性全《萬安方》、曲直瀬道三《啓迪集》。元簡在行文中還引有自己的著作《靈樞識》《醫賸》。

朝鮮：金正國《村家救急方》、許浚《東醫寶鑑》。

目前尚不能確定是否爲書名的有「記永禄以來事」，作者及成書年代不詳的有《張氏兒科方要》。還有的引文只提到人名，未標出書名。如出現的醫家有唐代王冰、許仁則，宋代錢乙，金元時期張子和、王履，明代閑叟吕滄州（吕復）、萬氏（萬全）、張介賓、韓飛霞，清代柯琴、吴又可、顧氏（顧世澄）。此外還有明代胡應麟和徐應登等非醫林人物。

綜上可知，此書廣泛徵引歷代文獻，博采諸家之説，反映出多紀元簡考證派大家的鮮明特色。書中多方援引中國秦漢至清代醫籍，其中以明代文獻爲最多，旁及日本、朝鮮醫書，涉及醫經、傷寒、金匱、方書、本草、診法、兒科、外科、針灸、醫論、醫話等類的醫學文獻。除此之外，書中還較多引用非醫學文獻，既有史書如《史記》，又有子部的《淮南子》；既有《隋書・經籍志》《舊唐書・經籍志》《新唐書・藝文志》等正史目録，又有中醫學專科目録《醫藏目録》及專論典章制度的《文獻通考》等。元簡此書保留的大量引文，可爲後世的文獻學研究提供可靠的綫索。此外，此書還引録了文人筆記中的醫學内容，可與元簡另一部著作《櫟窗類鈔》互參，爲研究筆記小説中的醫學史料提供了可信的資料和有益的借鑒。

多紀元簡是考證派大家，擅長文獻考據。例如，此書卷上《難經》解題在「而梁《七録》有《黄帝衆難經》之目」之下，注曰「見《隋・經籍志》」；在「王勃云：秦越人始定立章句」之下，注曰「王勃《難經序》，見《文苑英華》，其文訏怪可疑」。在兩側解題中還考察《難經》歷代注家如唐人楊玄操、宋人王惟一等的言論，援引熊均《醫學源流》、鄭樵《藝文略》以及《隋書・經籍志》《太平御覽》《文獻通考》等諸書的論述，主要考證《難經》最早的注家吕廣，認爲《名醫圖》中所謂「吕博」即「吕廣」，《隋書・經籍志》中《黄帝衆難經》的著者「吕博望」即「吕博」，亦爲「吕廣」，將「廣」字改爲「博」，乃隋朝之人避隋煬帝「楊廣」名諱所爲。這些考證，引證廣博，言之有據，詳略得當，頗有真知灼見而獨具特色。

同時，多紀元簡還是醫學名家，在醫學方面造詣精深。他對疾病理、法、方、藥的論述十分精到，如此書卷上討論麻疹時，從名義、形色、疹期等角度，詳細論述了麻疹的諸多關鍵問題。首先在「名義」一節，元簡列出麻疹的諸多別稱，即不同地域對麻疹的不同稱呼，「北人謂之糖瘡，南人謂之麩瘡，吴人謂之痧，越人謂之瘖」等。其次，在「形色」一節，描述了麻疹的形狀、顔色、是否高出皮膚等内容，指出麻疹「色貴紅潤，形貴尖聳」；羅列了各證型麻疹的治法、方劑，如「色雖紅潤而不起，二便艱澀者，清熱透肌湯」等；指出麻疹不同階段的形色變化，如「始見點於皮膚之上，形如麻粒，色如桃花，間有類於痘大者，此麻疹初發之狀也；形尖疏稀，漸次稠密，有顆粒而無根暈，微起，泛而不生漿，此麻疹見形之後」等；比較了麻疹與痘瘡的異同，如「痘瘡貴三四次出，謂出勻；麻瘡貴一齊涌出，謂出盡」「出形細密，與痘瘡密者相似，但疹子隨出隨没，非若痘子之以漸長大也」等。最後，在「疹期」一節，先描述了麻疹一日至七日的證候變化；又指出在不同地域環境之下麻疹的病程不同，如吴地爲「水土濡弱之鄉」，麻疹病程一般只有二三日，而一旦「風寒變遷，有似北方氣候」，則普通麻疹的病程將延長至七八日；最終指出所患麻疹與痘的先後不同，則預後亦不相同，如「疹在痘前者，痘後必復疹；惟痘後出疹者，方爲結局」等。此外，還記述了享和癸亥年（一八〇三）麻疹流行時，元簡製「孟介石治痧神方」救治百姓的經驗，并詳細列出飲食宜忌和藥浴等。可以看出，元簡論痘疹，有理論、有鑒别、有方法、有病程、有治驗等，環環相扣，邏輯嚴密，自成體系，非常精到。

又如，在卷上的「痓病所因論」中，元簡指出痓病的病因爲津虧血燥、復感風寒，羅列出不同證候的常用方，如剛痓用葛根湯，胃家燥實用大承氣湯等。其後采用問答形式，指出《金匱要略》「若發其汗者，寒濕相得，其表益虚，即惡寒甚」十七字爲衍文；以痓病病因爲「濕」，是運氣家的認識而非《黄帝内經》原文，後人據此闡發痓病的病因病機，實屬不當；點明諸方多用附子回陽救逆，以治汗多亡陽、津液大傷所致痓病的機制。這些認識，充分説明元簡既有豐富的臨床實踐經驗，又掌握了大量的前人文獻，善於將理論與實踐相結合，使醫理闡發與文獻考據相得益彰，十分可貴。

四 版本情况

《櫟蔭先生遺説》有十餘種鈔本存世，分别藏於日本國立國會圖書館白井文庫、國立國會圖書館、九州大學圖書館、京都大學圖書館富士川文庫（二部）、早稻田大學圖書館、東京大學圖書館、東京大學圖書館鶚軒文庫、東北大學圖書館狩野文庫、乾乾齋文庫（二部）、楂蕃書屋、御茶之水圖書館成簣堂文庫。❶ 在中國大陸存有鈔本一部，藏於中國中醫科學院圖書館。❷

本次影印所據底本，爲日本國立國會圖書館白井文庫所藏鈔本。此本藏書號爲「特1—1884」，二卷一册，四眼裝幀。封皮及内封題簽上均題寫書名。書首無序，卷上之首題署「櫟蔭先生遺説卷上/男　元堅　謹録」。四周無邊，無界格欄綫，無版心。每半葉十一行，每行字數不一，十六至十八字。書中有多處眉批、兩處脚注，時而可見描畫、修改的痕迹。書末無跋，卷末題識記森約之抄寫、校勘此書的具體時間。

綜上所述，日本名醫、考證大家多紀元簡一生著述甚豐，但其醫著并未全部刊行，尚有十餘部在其生前未能最終完成。其子元堅搜集元簡遺作十數篇，酌加注解、按語，輯録而成《櫟蔭先生遺説》一書，使元簡的部分珍貴文獻得以傳世。此書所收諸篇文獻内容豐富，能較好地體現元簡的學術精於

❶ （日）國書研究室．國書總目録［M］．東京：岩波書店，一九七七：（第八卷）一三五．

❷ 薛清録，等．中國中醫古籍總目［M］．上海：上海辭書出版社，二〇〇七：八八七．

考證、引録廣博、醫術精湛、治驗頗豐的特點。今影印出版此書，可爲考察元簡父子乃至日本江户時代考證派的學術特色提供珍貴的文獻資料，并爲中醫臨床提供一定的參考借鑒。

杜鳳娟　蕭永芝

櫟蔭先生遺說
特1
1844

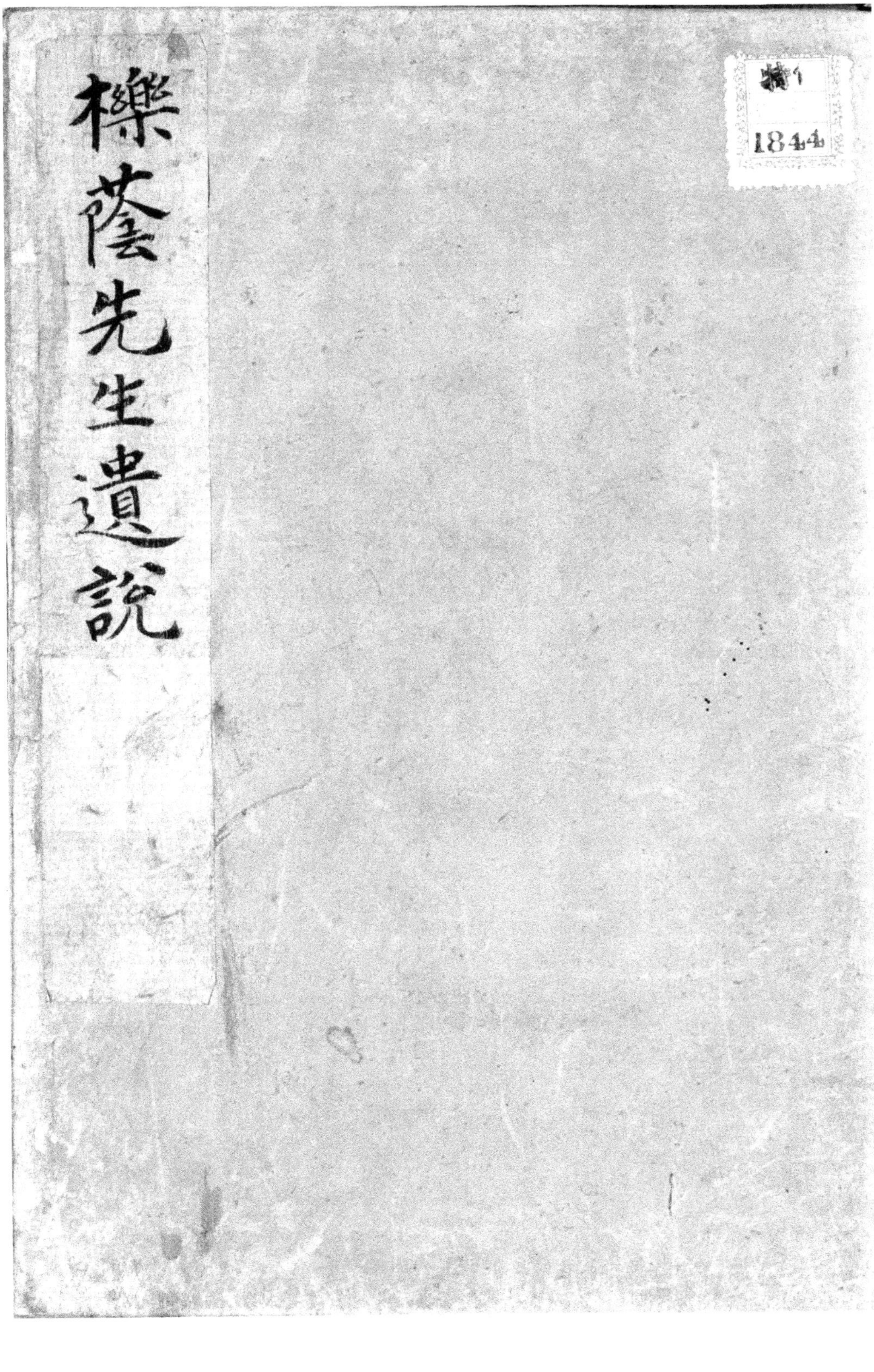
櫟蔭先生遺說
1844

櫟蔭先生遺説卷上

男　元堅　謹録

先君子著書之富從來医家無出其右皆医林鴻寶而其利人生猶布帛菽粟然將逐部附櫻今録其目如左素問識八卷稿本四卷靈樞識六卷傷寒論輯義七卷金匱玉函要略輯義六卷扁鵲倉公傳彙攷一卷素問解題一卷附難經解題脉學輯要三卷舊名彙粹觀聚方要補十卷救急選方二卷痳疹輯要方一卷櫟窻類鈔五十卷医賸三卷附録一卷櫟蔭文集五卷共十三部百一卷内五部已刊行其末脫稿者有医方挈

領炮炙録挨穴輯要病名沿革攷病名纂
病名紺珠辨證録傷寒類脉麻疹纂類
疹麻心得医籍攷聿修堂架藏志本朝
医說奇方彙編櫨中鏡等若干卷自
餘校勘諸書不勝枚舉元堅與伯氏倣
義門何氏為讀書記數十卷葢架藏志
實為絶筆若使天永其年更所撰述亦
當何如嗚呼哀哉

素問解題天明丁未刊其板早燼傳佈稍
稀近撰素問識復為訂補以冠其首然
所附刻難經解題人難得見因全録之

八十一難之名昉見張仲景傷寒論自序而梁七録有黃帝衆難経之目（見隋経籍志）蓋衆乃八十一之譌集註題曰黃帝八十一難経本義無黃帝八十一字非其舊也其以黃帝冠者正與内経同（素問離合真邪論九九八十一篇以起黃鍾數焉古書多以此為數素霊老子皆然）難是問難之義帝王世紀云黃帝命雷公岐伯論経脈旁通問難八十一為難経（事物紀原）蕭吉五行大義李善註文選（七發）並引此経文云黃帝八十一問曰可以證焉文獻通攷陳氏云難當作平聲滑壽亦從之或讀為去声非也（按唐藝文志有耆婆八十四問許詠六十四問蓋本此）經字之義見素問

解題

此経不詳何人作隋以上則附之于黄帝唐而降則屬之于秦越人隋経籍志云黄帝八十一難二巻蓋原于帝王世紀之説也楊玄操云秦越人之所作也王勃云秦越人始定立章句（王勃難経序見文苑英華其文詭怪可疑）舊唐経籍志云黄帝八十一難経一巻秦越人撰按開元中張守節作史記正義於扁鵲傳首引楊玄操難経序文則楊玄操開元以前人而其屬秦越人者豈創于楊玄操歟司馬遷云天下至今言脉者由扁鵲蓋論脉莫精於難経則其説之所以起也

夫世紀之書閲類書所引虛實相半難以取信扁鵲所作唐而上無說実為可疑矣雖然八十一難其目已見於仲景自序而叔和脉經士晏甲乙往々引其文則漢以上人所撰要之不失為古医経亦何必論其作者胡應麟云班志扁鵲有内経九卷外経十二卷或即今難經世其說難準心以上三條宜與滑氏彙攷參攷医経之有註莫先於此書晉楊玄操云呉太医令呂廣為之註解惜今不傳而宋王惟一集註頗收其說則幾乎所謂名亡而實不亡者亦幸哉熊均医学源流云按名医

圖有呂博無呂廣予疑博即廣也某按隨志云梁有黃帝衆難経一卷（鄭樵藝文略作二卷）呂博望註亡太平御覽載玉匱鍼経序云呂博少以医術知名善診脉論疾多所著述呉赤烏二年為太医令撰玉匱鍼経及註八十一難経大行于世疑呂博望即呂博也魏張揖作廣雅隋曹憲為之音觧避煬帝諱名更博雅以此推之其人本名廣其作博者蓋係于隋人所易豈甘氏名医圖偶不及改之也其所註本佚于隋而見于唐併楊氏疏以傳於宋（文獻通考呂楊註八十一難経五卷晁氏曰秦越人撰呉呂廣註唐楊玄操疏）至于

惟一兼數家之義以作集註其功偉矣近代我邦本義盛行集註遂晦良可慨也因言及此（是予三十四歲時所撰者考證荒疏文詞鄙俚深慚甲子冬仲冬某記）

徐大椿難經經釋序云其曰秦越人著者始見於新唐書藝文志蓋不可定然實兩漢以前書云

吳文正公澄曰昔之神醫秦越人撰八十一難後人分其八十一為十三篇予嘗慊其分篇之未當釐而正之其篇凡六一至二十二論脉二十三至二十九論經絡三十至四十七論藏府四十八至六十一論病六十二至六十八論穴道六十九至八十一論鍼法夫

秦氏之書與内経素靈相表裏而論脉論経絡居初豈非医之道所當先明此者歟予喜讀医書以其書之比他書最古也（贈医士章伯明序）按呉氏六篇視之於楊氏十三類條理區別甚為的當元以後註難経者亡慮數十家未有表章者聊録備它日之研揣云寛政壬子仲春十八日（元堅曰以上二則係續補）

痓病所因論　甲乙経曰剛痓太陽中風感於寒溼者也病源候論千金方並云風邪傷於太陽経復遇風溼則發痓也予切疑溼主濡之焉有已溼而筋脉拘急之理乎然

古今註傷寒論金匱要略者盡宗其說無復異論焉特至明張介賓則云病則在筋脉筋脉拘急所以反張其病在血液血液枯燥所以筋脉拘急也清柯琴亦云痙以狀命名因血虛而筋急耳六氣為患皆足以致痙然不熱則不燥不燥則不成痙痙之屬燥無疑也予因謂痙之所因感于寒溼云者誤也攷之経文張氏柯氏所論似得其旨経曰太陽病發汗太多因致痙又曰風病下之則痙又曰瘡家雖身疼痛不可發汗汗出則痙又曰痙病有灸瘡難治又曰新

産血虛多汗出喜中風故令病痓合此數條觀之痓之因於風也燥也寒也血液枯竭也昭々矣蓋燥於六氣中而不獨行其化必兼乎風寒故秋冬之時風以燥寒以收艸木凋落風物之有滋液而柔軟者莫不乾且鞕可以知也若其人素津液不足而屬表實者更感于風寒則為剛痓乃葛根湯所主其入胃而胃家燥實則大承氣湯所療若其人津液不足而屬表虛者更感于風寒則為柔痓乃桂枝湯所主不啻表虛裏氣亦虛者活人附朮散聖濟附子散（並見痓病門）桂枝附子湯芍

藥甘草附子湯真武湯（三方張璐用以主痙病）之屬所理若果由於寒溼則仲景宜用麻黃加朮湯麻黃杏仁薏苡甘草湯之屬而不識葛根栝蔞硝芒之類清燥潤下之藥故知痙之為病如張柯二氏所論內因之燥藉外因之風寒而發也或曰如子言是則是矣然金匱原文明言寒溼相得內經亦云諸痙強直皆屬于溼聖賢垂訓豈可廢乎予應之曰金匱要略云若發其汗者寒溼相得其表益虛即惡寒甚十七字傷寒論玉函經脈經並無之是他篇錯簡誤入于此者必非痙之義也

氣厥論曰肺移熱於腎傳為柔痓益不熱則不燥故單云熱耳内経論痓之所因僅是而已其云屬于溼者運氣家之言而非内経之舊文也前哲不知金匱十七字之羨文而運氣出于後人故皆以溼立言如陳無擇輩雖稍有所闡發竟依倣為之説寔為可惜矣或又云予已以痓為燥而其虚甚者必主附子附子燥熱之藥矧仲景治痓方中無用之者無乃不可乎予曰不否生氣通天論云陽氣柔則養筋譬如霍亂轉筋因吐利極甚陽氣大虚津液枯燥不能養筋所致前賢

諸方多用附子理中湯凡汗多亡陽津液從而漏筋絕失養拘急發痙者非附子則不能挽回蓋氣水合一必然之理也雖然如亡血産後陽盛陰虛或有不中與者乃參歸湯人參建中湯及景岳滋補數方當採擇而用第此間痙病甚稀蓋因風氣使然故試驗無多臨病之際學者在思而得焉豈可執一定之見而斷乎哉元堅曰先君子撰此篇之後廿餘年而著金匱輯義倶舉其略故不刪節具録如右其如云以試驗無多未敢斷之則雖慎重之至想必不能外此說矣

先君子憂麻疹近多危證輯既效諸方以作輯要方又本祖考之意增以所見彙為一卷名曰心得而更擬類前人要論撰纂類書惜所成僅數篇餘未屬藁元堅恐其葉真短少經久散失備錄于茲

名義 細粟如麻者俗呼為麻即膚疹也因三徵者其邪在府發為細疹狀如蚊蝝所螫點點赤色俗號麩瘡𤺋細疱遍於肌膚之上如沸瘡泡子見而漸沒名為疹子一名膚疹一名膚瘡俗名麻子或曰沙子是也熊氏類證北人謂之糖瘡南人謂之麩瘡吳人謂之痧越人謂之瘄古所

謂麻閒人氏所謂膚胗是也纔一見紅色出而復沒沒而復見者謂之膚疹北人謂騷疹治痘詳說天地間沴戾不正之氣曰故疹也然其名曰有異在蘇松曰沙子在浙江曰醋子在江右湖廣曰麻在山陝曰膚瘡曰糖瘡曰赤瘡在北直曰疹子名雖不同其證則一縣京師內外名曰溫疹河南名曰粰瘡山西陝西名曰糖瘡山左名曰疹子江南浙江名曰痳疹湖廣江西名曰麻疹又名艄子福建廣東廣西雲南貴州四川俱名曰疹子顧氏厝子蚤疹在檇李則名瘷子而痧脹亦名為痧不可不辨玉衡 按釋名疹診也有結氣可得診見

也其曰麻曰沙曰糠曰麩並象其形名而之品字箋𤺋疹也蓋𤺋錯
也以其錯出肌皮从疒作瘖騷蚤也皮間點點狀如蚤蚤所咬也其
他多土音習
俗之誤耳

形色 古謂麻即疹也疹出如麻成朵痘出如
豆成粒皆象其形而名之也保赤麻疹浮小而有
頭粒隨出即收不結膿疱有如發凡疹疙瘩
擁起如雲頭色赤成斑隨見隨沒者有如粟
米頭粒三番俱見而不沒至三日後方收漸
沒者然皆謂之麻準繩其邪發於皮膚之上
出細疹狀如蚊蚤所咬點點紅色赤斑遍
身甚則疊腫有小顆粒隨出隨沒沒則
又出篡要通身紅赤起而成粒勻淨而小斜

目視之隱隱皮膚之下以手摸之磊磊肌
肉之間其形如疥其色如丹色貴紅潤形
貴尖聳若色雖紅潤而不起二便艱澁者
清熱透肌湯如色淡不起二便如常此屬
本虛無當培養氣血亦有色黯大便祕結
唇口燥赤者為火邪內鬱白虎湯加玄參
荊芥其有色白不分肉地惟點粒高聳晬
時即沒者邪熱本輕也然有表氣本虛而
色白者調護溫暖越一二日自變紅活也若正
出時為風寒所遏而色白如膚必毛竅竦栗
葛根解肌湯或麻出成片一被風寒便變

為白身不発热而反内攻煩躁腹痛痰喘急者
危如毒攻於胃則嘔吐清水攻於脾則腹脹不
食攻於肺則鼻塞喘促攻於心包則唇舌焦
燥不省人事摇頭掣手攻於腎肝則變黑
而不救也若紫赤而黯是火毒熾盛顆粒起者
可治宜清凉飲子讝語煩躁者黄連解毒
湯調益元散枯燥不起者難治若顆粒焦者
無論紅淡皆為热劇之候並宜白虎湯重用
石膏乾燥無汗加麻黄以汗之大便秘者凉
膈散下之亦有麻発如雲頭大片其形有二一者
大片焮赤一者大片之上復有小紅點粒皆火

邪熾盛所致白虎湯加玄參竹葉若麻出斑爛
如錦紋或出膿血腥臭不乾心胸煩悶嘔吐清
水身溫熱者白虎湯加黃芩茅根若初發時
有似斑屑者乃風寒在表而成癮疹祗宜疎
解俟麻一透其疹自退切勿誤認為斑而
為苦寒之劑致麻內陷而難救也医通凡出疹
見標之後形似麻粒大粒而尖稀疎磊落
再後成片紅色滋潤者順若初出一時湧出
不分顆粒深紫色者險黑色者逆昔人云
痘喜稀疎麻宜稠密雖如漆瘡通紅一片
亦不足慮以其出之外即可免夫內攻顧氏始

見點於皮膚之上形如麻粒色如桃花間有類於痘大者此麻疹初発之状也形大疎稀漸次稠密有顆粒而無根暈微起泛而不生漿此麻疹見形之後大異於痘也金鑑痘瘡貴三四次出謂出匀麻瘡貴一齊湧出謂出盡麻子只要得出便輕減以火照之遍身如塗朱之状此將出之兆出形細密與痘瘡密者相似但疹子隨出隨沒非若痘子之以漸長大也出形鮮紅與傷寒發斑相似但疹子粒粒成瘡非若斑之皮紅成片如蚊迹之迹也萬氏 按斑者有色點而無顆粒靚鞢傷寒多有此證景岳則云痘之有疹瘄之外又有麻疹所謂疹卽麻疹麻疹卽瘄與萬氏諸家之言左矣是必謬說使後人不能無迷故舉于此

風疹

約之審看而之而
猶則也

初未見標之時先必身热頭疼欬嗽或作吐作
瀉或鼻塞鼻流清涕噴嚏眼胞腫腮赤煩
躁不寧細看耳根下頸項連耳之間以及
背脊之下至腰間必有三五紅點此乃疹之報
標若無紅點之證候當以別證論此屢試屢驗
者也如果有紅點與前證相同宜用宣毒發
表湯加芫荽為引以托之外出不必拘泥吐瀉疹出
而吐瀉自止顧氏

[疹期]出疹之候初热一日至次日鷄鳴時其热即
止止存五心微热漸見欬嗽鼻流清涕或腹中
作痛飲食漸減至申酉之間其热復來如此

者四日用手滿按髮際處甚熱其面上熱少減二三分欬嗽連聲面燥腮赤眼中多淚噴嚏頻發或忽然鼻中出血至晉其熱不分晝夜六日早時其疹出在兩頰下細〻紅點至午時兩午背并腰下及渾身密〻俱有紅點七日並徧撒發其鼻中清涕不流噴嚏亦不行七日晚兩頰顏色漸淡此驗出疹之要法萬氏吾呉水土濡弱之鄉生氣最易萌動故麻疹之發自始至終不過二三日即安從古迄今靡不皆然爾來風寒變遷有似北方氣候即尋常麻疹必六七日乃化稍若熱勢未盡或觸風寒或犯飲食變證百出

其危有甚於痘者〔醫通〕疹在痘前者痘後必復疹惟痘後出疹者方為結局〔景岳〕按準繩云出於痘前者名奶疹子出於痘後者名正疹子乃知痘前者非正疹子故復疹也　凡正疹由於胎毒其出也必在出痘之後或隔兩三年或隔半年一年之久甚至八九年之遠感正疹之氣而出次後再不復出矣〔顧氏〕

享和癸亥麻疹大行時先君子製剤盃以石治疹神方募施窮氓又疏禁忌剤印頒行籍得全濟不尠其功溥矣今列于左
一避風寒為要如暑月亦忌溽鬱
一用藥忌一切辛熱補澀及燥痰之剤

一飲食忌冷若熱煩甚飲以冷水或藥冷服然勿妄施

一忌食諸物　諸果　酸味　鹽味　諸辛　葷腥　酒　油膩　麪食　諸鳥　諸魚　香炒已下十二日後熱已清解者不忌　豆腐　蔗糖少食不忌　蜂蜜　木魚　香蕈　茄子已下二十二日後熱已清解者不忌　蘿菜　醬瓜　鯛小者　鰈小者　雞香

一一切不潔之物不可得近又忌聞惡臭

一熱未清解不可強進飲食

一渴飲湯茶必作吐瀉宜代用菉豆燈心炒米等湯又西河柳二錢水煎代飲尤妙

約之案香恐肉訛

約之菜葉字可疑

一热鮮諸證皆平後艾葉荊芥防風三味等分水
煎浴身凡浴不宜生水
一古人有痘前疹後之（誤衍）後戒故諸禁忌當遵
用至五十日重者百日又尤忌慾事
一宜食諸物　百合　款冬　慈菇　荸臍（亦可生食）
瓠畜　梨（亦可生食）　薇　山芋　豇豆　麩　菉豆
越瓜　冬瓜　麥麪　葛根　大豆　小豆
菜豆　牛蒡（出疹後忌）　以上並宜煮軟食
平戸侯（清）嘗問痔之所由先君子書一紙以答其
略曰痔之為疾古今医書及佛典所載其目
頗繁要之未有不由下焦溼热者故経曰因而

飲食腸澼為痔東坡曰枯槁主人客自去言此疾本曰過食膏粱溼热醖蒸生虫所致故斷厚味節飲食則患去而愈矣然有其人未曾縱酒食而患之將歲或愈或發者是先天自然之宿毒而非可能治亦幸有歲月久遠其毒自盡而瘳者若用數斂藥旦夕取效則变致他病遂為危證故治此疾先隨一時所顯證候而用藥不敢深治最以調攝為要調摂之法以節飲食為先其次則勿久坐又其次則省思慮蓋久坐則下焦壅遏思慮則運機阻滯俱能蘊釀溼热故調是三者

則未有增劇者也

又嘗代祖考撰答人論脚気書一篇曰辱書縷々數百言為問某治日本橋綵帛舗一甲幹處療之方非其對焉嗚呼足下何老而好方之篤也然而熟讀來書所言及其歴舉三不鮮而所以異某者其實似不解古人方論之旨而執一偏見以律之也某雖不敏豈不述所研揣乎蓋甲幹病其初雙脚痛痺趺脛微腫已而腫及遍身小便澁少心腹脹急呼吸短促有將攻心之勢某謂此乃古経方所載脚気腫滿已因以外臺唐

侍中檳榔等六味方更加犀角牽牛子兼用葶
藶丸不日而痊夫脚氣之為病至其水氣擁溢府
藏浸漬皮膚為腫滿脹急等證與水病無
大異焉故古人方藥彼此互用可觀外臺諸
書而見也況渠證明為脚氣故用脚氣藥而
其藥與病對是以霍然奏效宜無復異論矣
而足下引千金云脚氣病原無中土有焉嶺
南地方踏熱土而所患也因以為 斯邦與嶺南
風土自異無足踏熱被火毒中傷之理故脚氣
特彼邦嶺南地方患之而我邦無有病此者
遂謂用脚氣藥治水病者卽惑俗欺愚以

以字誤衍

以以賣術之流也噫何足下所見之隘而議人之輕也某攷千金論云夫風毒之氣皆起於地地之寒暑風溼皆作蒸氣足常履之所以風毒之中人也必先中脚久而不差遍及四肢腹背頭項也未嘗見踏執土而得之之説是可疑矣又云近來中國士大夫雖不涉江表亦有居然而患之者良由今代天下風氣混同物類齊等所致之耳又外臺蘇長史論云近入京以來見在室女及婦人或少年學士得此病者皆以不在江嶺庸醫不識以為他病皆錯療之多有死者風氣毒行天下遍有非獨江嶺間也則

知脚気之病不特嶺南江表人患之天下遍有
也夫天下遍有則謂我邦獨無罹此病者
乎又千金云凡四時之中皆不得久立久坐
溼冷之地亦不得因酒醉汗出脱衣靴韈
當風取凉此皆脚成気外臺蘇長史又云脚気
之為病本因腎虚多中肥溢肌膚者無問
男女許仁則亦云脚気病有數種飲気氣下
流以成脚気飲気即水気之漸亦有腎気先
虚暑月盛熱以冷水洗脚溼気不散亦成脚
気元李東垣辨北方脚気所謂之由云大乳
酪醇酒者溼熱之物飲之屬也加以奉養

約之案永觀年間丹波康頼著醫心方説脚氣甚詳可知我邦千年以上既此病盛行也

太過亦滋其淫水性潤下気不能响故下注於足脛積久而成腫滿疼痛此飲食下流之所致也可見脚気不特由嶺南瘴気而発也如瘴毒脚気外臺及聖恵方中別有一門是亦脚気中之一證耳我邦嘉歴中梶原性全著萬安方立脚気一門載方百餘首則知我邦五百年前已有斯病也夫脚気之病足下所舉云〻者正其一端而已至其変化證候種〻前哲諸書所論歴〻可攷矣如甲幹所患究竟因久坐受淫下部壅滞加之以滋味中焦不運水飲下注漸浸

案毷氉

漬府藏所致也足下之言云宜順氣利水
某所用檳榔等六味即順氣之劑牽牛則
利水之品也其加犀角者防攻心毷氉也既𧿹
又何容疑是何異甲幹所病果是水病陽腫而
非脚氣耶則外利水順氣則無別可議若治
水病以脚氣藥者為非當耶則如腎氣丸一
方治虛勞之劑乃借治脚氣上入少腹不仁
亦借治消渴水病治短氣其謂之錯療歟
古人此類極多不勝僂指此謂之活法也今
甲幹所病斷然為脚氣無疑其愈亦全為
藥之效不須辭費而明矣若不知是其

脚気為他病錯療之水気凌逆絳宮失保不死而何此蘇長史所以諄々垂訓也某結髪以来讀孫王二氏書視所謂脚気者不下數十人依其法而療之莫有不奏效者私心以為有所得矣豈謂有如足下致疑者昔張子和有言曰吾不幸不遇病可補者抑足下亦不幸而不遇所謂脚気者乎嗚呼足下之好方也篤矣若以某之言為不爾宜熟讀千金外臺瀏覧宋元而降諸家方論猶且驗之於病者有與甲幹同證者則自知某之非謬妄矣亦何用夫嘵々乎去冬々得書來將亟裁之

報而攄此意奈何官務鞅掌無暇下筆日復一日因循至今延捱之罪幸恕焉元堅曰此篇詞達理精不第甲幹患狀抑於此病掘柢摉根殆無餘蘊學者宜熟玩而深體焉

又晚年欲録其治驗滙為一書惜未果而逝頃探舊篋得此數則雖洵一臠之味庶可以窺其術之神矣

小野久米五郎乃政年十八妊娠彌月胎水漸盛遍身洪腫下體尤甚口舌生瘡爛壞不能啖鹽味日啜稀粥僅一二椀小便赤澁大便溏日一解脉滑數有力医以為胃虛

不能攝水與參朮等藥勢殆危劇遽邀予理之予曰胎水挾溼熱者非胃虛也投以猪苓湯加車前子黃連山梔蓋車前子一名芣苡不止利小便亦取毛詩云宜懷娠之意服五六日遂漸小水快利腫脹消散口中亦和飲啖復常因故用紫蘇和氣飲加白朮黃芩至月盡而誕男兒母子兩全矣

御藥局小史兒生五箇月吐乳日六七次無他證惟面青色白似稍瘦倦父母憂之請理於予予曰此責在小方脈科敢辭焉渠曰凡小兒科理吐乳非錢氏白朮散香砂六君子之屬則

凡小兒科一本作凡小方科

凉膈散紫圓之類其變慢驚慢脾者比々皆是顛君別為處置以救豚犬命也懇請不已予因撮一方以與之半夏為君茯苓為臣藿香伏龍肝為佐丁香為使生薑為引每貼一銭水煎別以養正丹為散以挖耳頭挑散子入口中兩麻子許以前藥汁送下日五次不浹旬而吐止神色復故此予常用理翻胃方籍以療吐乳未足為奇然而啞科從不用此等藥株守常套之劑聽其夭殤果何也心

一商家僕年廿歲請予藥曰患膿淋數

日時〻微發寒熱飲食少進餘則無他異焉予診之脉沈小而數腹中無異狀第似神色不太樂者予謂肝經濕熱耳因與龍膽瀉肝湯後十餘日忽使人來告曰下血數升命在須臾請速來救急予徑往入病者室仰卧蓐上氣息綿惙診之六脉洪數而虛急灌獨參湯湯入咽便吐出而不納尋之以乾嘔額汗淋漓若亦極矣忽吐蚘蟲陸續七條嘔逆益甚因投小半夏加茯苓湯更加蜀椒烏梅猶吐出而不納予沈思謂孫真人以甘草止吐今用之蚘必安矣遂用甘草單味錢許煎服之吐

昚未詳

還即環

有瘕二字

忽止気息忽平傍人昚將更蓐除污衊先就
襪被視下體陰囊破壞有孔如窺雙卵墜
在衆人驚愕駭予直就而觀之卵大如雞蛋
而稍扁色白而紅縷纏繞昔江篁南以陰
囊破裂為千古稀見況此陰囊墜而在
蓐上抑可謂奇中之奇矣衆人乃還遶問
予曰睾丸命脉所係今也如是死有頃刻歟
予曰閹家有瘕此皆割勢者而猶能保生此
人蓋黴毒結于陰囊故有此変與壞臯蠟
焬發亦無甚異矣調護得宜當不死矣
病家以予以弱冠不能任治邀一老医療之

渠按以八物湯出入三十日而全痊歸其郷近江云

元堅曰此按医牘已載其畧

文化二年乙丑十一月水府文公薨時先君子預決不救人服其先見後自記其事以為覆轍之戒其畧云初公登圊大通不快胸滿氣短兩三日間或愈或發仍召某診之脈滑帶數而無根蔕面色青慘胸腹殆無動脈心下拘急微滿而臍下空軟按之無力其上盛下虛煥然無疑然侍臣以起居之平無知察者某出而語曰公病雖與支飲類此由中氣虛乏誠為危證治法用宜峻補之藥加入沈

香更進黑錫丹以回陽鎮逆猶恐不及侍臣聞言如太驚惶猶或不然明日又診不見異候又明日其脉十數動一止且侍臣曰昨吐黃褐痰者二某曰是脉是證俱藏真竭絕之候益為可懼須灸天樞氣海三里絕骨等穴以培下元然侍臣猶進緩〻降氣之劑不肯為意至日晡公又登圊短氣者劇卒然昏倒不省人事急使人召某某入診之其脉既絕非刀圭可復下嗚呼公之疾縱是屬不治若使人人見幾察微則豈使逡巡之際致此變逆乎來者宜鑒焉

逡巡之際

櫟蔭先生遺説卷上了

櫟蔭先生遺說卷下

男 元堅 謹録

蝦夷地方有一異疾其證大約類脚氣而脛腿生紫赤班齒齗腐爛劇者或吐血或瀉下臭穢或唇腫出血或牙齒脱落医士新樂閑叟嚮在儫㗁囉吻營中視療頗多嘗語某如此仍併吏所聞參明清諸家以為之攷然所未經眼録俟後攷

按明孤竹王璽撰医林集要內載青腿牙疳治方數首至乾隆敕修医宗金鑑紉詳論之此證與其說相為吻合乃知是青腿牙疳

茲載其略云青腿牙疳自古方書罕載其名僅傳雍正年間北路隨營医官陶起麟頗得其詳云軍中凡病腿腫色青者其上必發牙疳凡病牙疳腐血者其下必發青腿二者相因而至此證惟內地人初居邊外得之者竟十居八九蓋中國之人本不耐邊外嚴寒更不免坐卧濕地故寒濕之痰生於下致腿青腫其病形如雲片色似茄黑肉體頑硬所以步履艱難也又緣邊外缺少五穀多食牛羊肉等其熱與濕合蒸瘀於胃毒火上薰致生牙疳牙齗腐腫出血若穿腮破唇腐

爛色黑即為危候　金鑑治絡流氣飲有姜附加味二妙湯有黄蘖益其地嚴寒又經热内欝故二方似宜施用然薬品重複其效緩慢恐難奏效　閒叟又曰其地冬日雖在屋内霏雪侵迫衣被冷濕使人齒浮胸痞蓋此病所因起若厚被温衣能免其害至隷卒莫由防之故患者特多　嘗聞一吏於沙里得疾脚攣腫痛腿生紫黑班時有患此證周身洪腫呼吸短促二便閉塞以至困斃者渠懼速服瀉丸下利五六行遂得快復他人習用亦多全活此證雖無斷爛之候想是

高粱字見素問

而致者有腎氣不足飲水失道而致者有高粱過度脾胃溼鬱而致者故預防之忌法久坐陰溼地或著滋溼衣或冒霧而行或步久雨乍晴地氣蒸達之處忌過食魚鳥餅粢一切厚味忌大酒及醉睡忌慾事過度及醉後入房忌久坐久立及行步勞動俱失其節慎茲五者則不止脚氣而諸病不生誠長生久視之良訣也

小兒吐乳雖有數端大綱不過虛實二途盖有胎元胃虛不能消化乳汁以導下部而吐者有飲乳過度結成癖積拒格新乳吐

嘔者又有胎毒隱伏腸胃之間格拒乳汁或兩者相搏遂為頑涎結聚胸膈而吐者此證特多患者而貧賤最甚故治之之法宜用清涼者多然亦有宜溫補者亦有不拘攻補宜從中治而消痰化食降氣殺蟲以奏其驗者當隨證處治

單參即朝鮮人參非有別品按朝鮮所齎人參凡有二品其一為大人參其一揀其細者一根或二三根相合一偏付根鬚米糊粘着又造蘆頭制衣為一根者即此品也氣味與大者不異今藥舖更水潤折之名

控(ヒキ)離(ハナシ)其鬚須名捎(サキ)折(ヲレ)然大人参塗以蜜水故質理稍異而亦有數等其下品者數経製造或以單参擬造大失其性故用單参反為勝

窓陽参亦出朝鮮國慶尚道光紅結実似上品物然本草稱参貴有餘味此不特無餘味咀之似灰製者但甘而不苦且指撚濘則脆軟如糊危急之際豈可施用又聞呉商貴此品按彼邦俗貴光実者而最珍北参此品與彼相類蓋是朝鮮擬造其形者而呉商不辨也（北参産満州烏喇古寧地琉珠國歳貢彼邦時天子賜以此品又諸）

蝦夷産厚朴與本草商州者同一類比舶上（根漬灰湯内曝乾則質堅明透）真者色質少異又彼則嚼之真多苦味此則咀嚼頗久漸生苦味亦戟人咽然較之内地所産者味厚而辛與本草気味相合近時舶上者極少當此以代用（元堅曰青腿牙疳至此鈔出劄子中）

医賸八巻二筆一巻文化戊辰刪定為三巻刊行于世然其棄餘亦多可增意見者略録數則于此

啘字　十六難掌中热而啘査字書啘音拙

不釋其義虞庶讀為惋滑壽以為乾嘔並不見所據按肘後方引金匱乾嘔噦若手足厥者橘皮湯云方治卒嘔啘又厥逆方又載壼樞治噦令噴嚏法云治卒啘不止方則知啘乃噦字後閱活人書釋音啘音噦於月反噦同義正與余所見符矣元堅按王履亦曰啘與噦蓋字異而音義俱同

麝射香　王士正香祖筆記引趙鋐伯一驪集云前人言麝射噬虵食柏而香結退腑而藏覆以自珍吾邑會稽無柏麝射將何食麝射香和其腑自張獵諸花卉得其香而括之蠅蠓集其腑膻然亦括之凡諸花香蟲肉

皆香材也遇蛇回旋數周撐足張臍以當之蛇自起而納諸臍攪亂人得其臍或收蛇不既者或收而未化化而不盡者大抵蛇為其香之主也此說略與本草所言符矣予謂今麝香必是製造之物聞吳船所齎年不下數百斤不知併中華所資而其幾千斤香一枚則所採于獸一頭香一斤則所得于獸二三十頭矧出地有限且所謂香麝者山林所產非狗彘之比而購諸崎嶴大率一斤價不過二三金縱令盡中華而得之豈能如此多而價賤乎因

泊恐洎

洞未詳恐潤

斷以為製造物矣後家君門人和元真謂予曰元真祖某傳製鹿麝香法於唐山賈人其法鰒蛇六十條鹿胎子新㨾者一隻清酒二升右收瓶中瀝青固濟瓶口瘞土內三年始成取得外包以鹿胎皮若不泊期發開者洞洞不結不堪作囊鰒蛇鹿胎二物都下一時難致故不易製造錄以俟他日云予偶細察麝香臍中乇乇皆中空如管脆軟易折不似鹿胎乇心疑之近於御藥局見猬皮渾脆者背乇似毫豬而腹乇脆軟中空與麝射中物無別焉猬皮今藥中用背皮而其腹皮屬無用始知其以此包裹焉

紺珠經　心印紺珠經二卷胡文煥校本不著撰人姓名及觀嘉靖中趙府所刻本乃

云元朱某受業于李湯卿之門而得傳心之書九篇其子撝字好謙筆之於書者詳見序中閱錢曾讀書敏求記云四維知悌心印紺珠一卷知悌字子敬號大無先生集六散二丸十六湯以總治萬病此可疑焉又李梴入門正氣天香湯方下引紺珠今本無之不知李之所言別是一書否

日華子　日華諸家本草二十卷常禹錫云國初開寶中明人譔不著姓氏但云日華子大明序時珍云日華子蓋姓大名明也或云其姓田未審然否鄞縣志云華子姓大

名明開元時人集諸家本草近世所用藥各以寒温性味華實蟲獸為類其言近其功用甚悉凡二十卷明正統間三山鄭珞守寧見延祐志因標云陳藏器日華子倶四明人志逸其名今補之古今医統日華子陳氏北齊雁門人深察藥性極辨其徹本草経方多由註疏至今賴之陳田一声時珍引或云宣言此歟又都穆鐵網珊瑚云瑣碎録二十卷宋古靈陳曄日華撰按婦人良方有陳日華疑即是也元堅按医藏目録云鴻飛集七十二問田日華又按唐郎官石柱題名司封郎中有韓日華是又一日華也

江潮

半身不遂挑筋法　令患人平身正坐取一細繩於耳上比頭顱骨圍截斷取所比繩中摺處正按結喉下天突穴上却翻繩雙頭向後齊頭下垂脊間於繩盡處黑記（此非穴大抵是五椎之次）黑記傍一寸男左女右以剃刀竪劃劈破皮膜視之皮下肉上筋絡數條縱横纏紐因引針挑之隔二三日更挑之凡挑四五次記灸其上以灼斷餘筋病乃愈凡挑破不覺痛而血不出者乃其真穴也筋白者病易愈赤者難愈歲月經久者亦難愈（元堅按此法未見先君子試用蓋是江潮所得録俟他日爾）

五香湯　小兒初生用五香湯未見所出有林福田方云五香湯近用為小兒之總治不知有林何代僧本或作有鄭驪恕公忠藏古鈔本舊有跋云東福寺虎關和尚撰有林豈其別號歟

十黍一百黍之訛　陶氏序例云古秤唯有銖兩而無分名今則以十黍為一銖六銖為一分四分為一兩明朱載堉律學新說云十黍一當作百疑傳寫之訛也予按十黍疑是十絫之訛孫氏九章筭経云凡稱之所起始於黍十黍為一絫十絫為一銖六銖為一錙錙即分

七字誤衍可刪

也淮南天文訓亦云十二蔈而當一粟十二粟而當一粟十二粟而當一分十二分而當一銖並可以證也而遠祖所選醫心方引范汪方云六十黍粟為一分又說文銖十分黍之重也然則似十黍不可妄改姑存二說以俟明數者

四眼　本草蕓薹條引陸氏方蜈蚣蟄傷菜子油傾地上擦地上油摻之卽好勿令四眼人見種杏仙方引無人字所謂四眼蓋我與彼四眼乃不令人見之謂也菜竹堂簡便方治肉骨魚骨梗不要四眼見卽將筋來倒轉隨便鉗肉一塊急吞下卽愈又梟聚單

筋恐筯
來

方治瘧疾于五更時取大蜘蛛一個用絹或包頭捲了蜘蛛縛于病人臂膊上但只許一人知見不可四眼見又七修類藁治鬼魅魘人法後忌婦人雞犬四眼俱是彼我對看之義耳（理傷續斷方大活血丹此藥勿令四眼作之更忌雞犬婦人見之則析矣）

紫荆皮　方書紫荆皮宜用舶來紫金藤按鄭康寧藥性要略大全云紫荆皮乃牛頭藤蔓生者非紫荆花樹也又按瑞竹堂経驗方紫金皮即滑藤根外科準繩川紫荆皮又名紅肉又名內消瀕湖綱目紫金藤條不載此數名者何

山歸來　邦俗呼土茯苓為山歸來不知所出按吳梅坡医経會元云山奇糧即破飯塊也紹興府志云山奇糧即禹餘糧也知山歸來即奇糧之音訛耳

先君子欲撰續医賸未下筆而僅記其目中有弇州本草序毒異胎三條此皆得聞其說因録于左方

王弇州本草綱目序集中無之或疑偽作癸查四部續稿有詩云蘄州李先生見訪之夕即仙師上昇時也尋出所校定本草求叙戲贈之李叟維稍直塘樹便覩僊真跨

龍去却出青囊肘後書似求玄晏先生序
華陽眞逸臨欲僊誤註本草遲十年何
知但附賢部鴞羊角横摶上九天自注君有子
為罔中名令故云乃知其序命州所撰而集
偶遺之也
靈樞寒熱篇云寒熱瘰癧在於頸腋者皆何氣
使然岐伯曰此皆鼠瘻寒熱之毒氣也留於脉而
不去者也傷寒例云以傷寒為毒者以其最
成殺厲之氣也中而即病者名曰傷寒不即
病者寒毒藏於肌膚 故毒本害人之艸
其為病由用者特此爾世人論病開口則

言毒於疒知所祖者
大隅國肝屬郡垂水鄉中俣村有一婦󠄀，比七歲經水始通而有孕三月，其胎頓墮，次年復孕，方六月登攀嶮峗，歸家之後腹痛下血，至明年經候遂閉，而時時腹痛者凡二十四年，氣血虛憊殆至危篤，請醫有村紹甫診療，紹甫意是胎猶在胞中為患，投以利藥，反小便不利，或時急痛，再診其脉弱而無力，因與補劑，累日大便下一塊兒形，略備質如軟骨，仍知攀嶮之時臍帶繚斷，元元之氣無以潤養使然，乃記其事

併其胎以傳于家時延寶六年秋九月也此
古今医書所未載須從薩老公借觀其
色黄白如蠟重十四銭八分長三寸三分而
頭居牛其圍五寸亦異事也
又嘗曰医賸所言翠竹翁引線診脉事特
出傳聞而史書未見近閲啓廸集僧策
彦序曰本朝亦医匠之名世者光于國史
無世無之就中丹家鄉三位者生而得医髓
矣飛英声騰茂実時々造詣于艮岳中堂
医王善逝而得偈屏牽絲之妙奇哉蓋淺
人依此言轉誤者非翁実有其事也又曰

古方字医賸引唐詩然先見晋書范寗傳
靈枢識綜槩云呂滄州謂內經靈枢紹興
初錦官史崧併為十二卷然崧序稱勒為
二十四卷則呂說蓋係失攷想當時別有為
十二卷者故致斯誤耳頃日伯子柳滸君得至
元己卯古林胡氏刊本內經跋于其後云此本
題元本二十四卷併為十二卷則是呂所見而明
趙府居敬堂鼇峰熊氏金谿吳氏所為藍
本可以證先君子之說也清紀昀等四庫書
目提要云呂氏訛以熊本為史本者殆宋板
大明律之類疎妄亦甚矣夫先君子下世有

年予斷今也繙此書而信其見之不謬徒鬱悒之懷矣

先君子平生見聞及心有所得雖一知半解輙筆記之以爲他日效驗之地其說有既定書所未收因略摘録以便学者

虚勞及極虚説問有手指末節以下腫黑者蓋脉経不盈四末悪血歸之所致未知前人言及否

久病不問何證胸肋骨露岐骨如蠋襞者少得生

仲景曰少陰病脉微細但欲寐少陰邪深入

裏陽氣衰竭故有此證然不止此諸久病語
話飲食之際亦眠着死候也
證治要訣曰諸中忽吐出紫紅色者死然驗
之諸病皆然
痰火點雪云癆疾左脇痛不能轉身者此
乃肝葉已乾名為乾血痛肝經已絶死不治按
此說本于直指而其證今多有之世医謂為蕪
肝積用熊膽等丸嘗無其效者固
有医話水腫脚氣心下生痞塊其當衝心不衝心
各自有辨其塊浮顯按之易知者多不衝心
其塊沈著按之難認者必衝心臨證之際宜

精審

祝氏心医集云瘧疾每日如期而至名曰瘧信此當原證發散未可直攻未可截也或前或後此正気漸旺邪将不容名曰瘧衰方可截之試之甚理

痢疾虚而不虚实而不实用参帰芍藥湯無聶氏治痢第三方米糊為丸白湯送下

今人謂病發於神思證候多端難以一定者名癎證殊為不協按是素問所謂気疾也又戴原禮曰心风者精神恍惚善怒不常言言語時或錯乱有癲之意不如癲之甚亦痰

言字誤衍

約之案注夏即注下〻夏同音通用非夏月之義

氣所為也宜星香散加石菖蒲人參各半錢下壽星圓益亦一證也

東垣所謂蝦蟆瘟即痄腮也治方用普濟消毒飲戴原禮徐應登所謂蝦蟆瘟即天行欬也戴用參蘇飲徐用敗毒散加減元堅按吳又可曰或時衆人咽痛或時音啞俗名蝦蟆瘟此亦痄腮之類又王氏医鏡云蝦蟆瘟遍身如蝦蟆之皮皆屬風熱宜踈風散熱之劑治之

玄地說林載立夏日啖李令不疰夏按疰夏之名昉見此

王冰至真要論注云外有其氣而内惡之中外不喜因而遂病是謂感也按後世感冒之感

正是此義

病源論青盲滯頤飼面俱不審其義源順和名鈔作清盲津頤飼面因攷曰雖清明不能視物故曰清盲涎出不絶津津至頤故曰津頤脂液凝面形如米粒故曰飼面後閲医方亦同益其所見一爲古本（病源元刻本亦作清盲）

今俗所稱痁瀉痁淋痁痢即氣瀉（證治要訣）氣淋（病源論）氣痢（直指方）是也

勞欬字出濟生方欬嗽論又本綱欬々條勞欬連々然證類勞上有々字是々勞二字連讀或依時珍所改以爲其據者誤矣

小兒久嗽邦俗呼為百日欬幼科諸科未見載其證者特張氏兒科方要云頓嗽者小兒欬即嗆頓連声嗽則臉紅吐則嗽止嗽不久止腫而目中白珠起有紅絲者即不可用涼藥宜白附飲蓋頓嗽即百日欬也（保赤全書云咳〻甚氣喘連聲不住名為頓嗽其至飲食湯水俱嗆出或咳出血此熱毒乘肺而然也）活幼心書羌活散治嗞⿰口煎风热医学入門作嗞煎又譚氏殊聖退雲散治小兒疳眼嗞唾饒啼不住嗞唾嗞⿰口煎未卜何解或是呻吟之声

医説昔有人舌上生瘡久蝕成穴累服涼藥不效此亦下元虚火不降投養正丹遂

約之宋梁沈約所病亦是

得愈證治要訣作黑錫丹又医宗金鑑有舌疳證並是邪
俗所稱舌疽也
今人淋疾得之黴毒者殊多亦與膿淋不同
攷竇氏瘡瘍全書有内蛀疳之目殆此證也
人有外蛀疳即莖發瘡者内蛀疳為毒淋可以知也治方用小柴胡湯加車前子龍膽等
医法指南云鵝眼风掌心皮破梅此證俗稱
水虫世或以鵝掌风為水虫者非是
人被旋风割斷皮肉者俗名刈(カマ)鉤鼬(イタチ)古歷紙
燒灰傅愈然未見曽有言及者但清陸次
雲八紘譯史記黔中有鬼名曰风鬼無影
無形能以旋风攝人疑是此證

歷即曆同

飯匙草(ハブソウ)産日向花葉同决明但子扁而稍大能療蛇咬益飯匙亦蛇名此草最解其毒故名按幼幼新書載養生必用治惡瘡及蝮子咬方中用蛇滅門草云此草□宿以來皆有人家種以辟蛇形狀如草决明葉□子作角其名稱形狀並相合則知此卽蛇滅門

草叟假治鼠毒其效亦捷

服土茯苓必斷鹽味其效最著然本草不說特石天基傳家寶治梅瘡瘰癧方用土茯苓云忌鹽醋更宜博攷焉又有人說此物硬者鹽蒸則軟可知為鹽所制

俗方治欬嗽用乾姜末和砂糖服名甘生姜
嘗閱朝鮮國村家救急方云治咳嗽飴糖
一斤乾姜末二兩半和匀服之疑此方所本
鰕夷有一魚并名旋鍜候偉宛澌吐長尺餘白
色内層有粟紋質極堅其功解水腫治諸
血證下留飲婦人產後水腫小兒痘疹発熱
之時用之如神消魚鼈介甲蜘蛛諸虫之毒
閑宿酒爵氣其功彷彿於一角毛人常所貴
重最之良藥也難得難得
昇藥見廣筆記想是輕粉諸劑隱名盖
以其升煉而成

丸非圓轉之謂聖濟總録云丸者取其以物
收攝而已其解似是然則彈丸之丸疑亦此
義存攷

呂覽本味篇凡味之本水最為始五味三材
九沸九變火之為紀某謂後世九暴九蒸等
之說蓋起于此

大方大藥大丸大散並是藥料重複者蓋
對單方言

世俗所傳奇方大抵出本草綱目附方者多

斯邦医記藥分量以大中小明人亦有以上
中下記者文異義同

腧穴名稱有取之天者列缺雷名也豐隆雷師也天極北極也又北斗七星第一曰天樞按經云天樞腧也穴在其傍故名大乙北極五星中小者也璇璣魁四星也又北斗七星第二曰璇第三曰璣華蓋亦星名也在紫微宮此類頗多

鍼收筒中自古已然藥囊鍼筒見翻譯名義集又近時張宗良喉科指掌云凡喉鎗必要或銅或金銀外打一小筒中藏利刃收放在手捺出則鋒露收之則藏不傷別處矣按斯鍼医久用此法然未知所據

官医始見應劭漢官續漢志註引有之

尚方有二漢尚方主方藥又宋大明中改尚書曰尚方

今俗稱疾医為本道按東鑑建保二年時政入道患癰腫痛難堪招本道外科名医盡補瀉割灸之奇術又太平記足利左兵衛督北方有病招和気丹波両流博士本道外科一代名医數十人診脉然則其來古矣

嘗觀記永禄以来事一書言医師翠竹院道三以丹溪流唱于關東普行于世以可見其盛矣

其幼聞先祖考嘗語先考曰望鹿門好讀
医学正傳且用其方是與唱古方于關以東
矛盾

韓飛霞曰予每以夜央跏坐為人處方有
経旬有能下筆者古人用心之切可以想見
未有如今医取次處方者

麻葉有大毒庚申夏都下僧五六人食之皆
狂走不輟医與解毒藥而愈呉氏本草稱
麻葉有毒食之殺人則其不死者殆幸也

嘗有一婦食早芹忽腹痛悶乱余至診之
脉緊沈數細腹大如鼓吐下諸藥並不驗

早一本作旱

而斃一同僚亦曾見之予按此非真旱芹所謂鈎吻葉與芹葉相似誤食之殺人者也王阮亭居易録記江寧有蕭生者食香蕈則死又有王生者飲茶則死必二三日始甦医無能識其故者誌于此俟明医或能知之予同僚有吃麥飯必昏倒數時者又有一士食茄子必醉者俱此類也

享和辛酉冬一士家人數輩啖商陸根經一二時皆吐瀉頻併如霍乱藥治四五日始復其故但老人月餘而死金匱商陸以水服殺人又本草商陸赤者殺人然白者生食亦吐利心

煩苦楚難堪體虛人至死者宜
坪井某說嚮在相州大山見數人食馬齒莧
摻胡椒者一時皆死又有人話曾見食鰻鱺
摻芥子而死者
合面字二見聖惠直訣等嘗疑其義後
讀医說云灸腰眼穴上狀合面而卧知即俛卧
之謂
活幼心書老鶴彈一箇煮熟與兒食之據
宛委餘編彈卽卵也
脾胃論腸澼者為水穀與血另作一派如唧
桶涌出也按唧筒用長竹下開竅以絮裹

水桿恐長竿

水桿自竅轂唧水以灌火見三才圖會

喫或作吃忔賈誼新書越王之窮至乎吃山草飲腐水史記倉公傳夏㥑數忔食飲並是通用

龍樹眼論或作龍木按傳法正宗記龍樹避宋諱作木

又晚年嘗謂元堅曰欲識古人臨證施法之妙處莫如善讀其治驗焉予將掇其精英類為一書亦未果惜哉哀哉

櫟蔭先生遺說卷下　了

慶應三丁卯六月廿五日夜三更鐙下讎勘森約之養真